Hernandes Dias Lopes

1PEDRO

Com os pés no vale e o coração no céu

© 2012 Hernandes Dias Lopes

1ª edição: setembro de 2012
1ª reimpressão: novembro de 2023

REVISÃO
Andrea Filatro
Carlos Augusto P. Dias

DIAGRAMAÇÃO
Sandra Oliveira

CAPA
Claudio Souto (layout)
Patrícia Caycedo (adaptação)

EDITOR
Aldo Menezes

COORDENADOR DE PRODUÇÃO
Mauro Terrengui

IMPRESSÃO E ACABAMENTO
Imprensa da Fé

As opiniões, as interpretações e os conceitos emitidos nesta obra são de responsabilidade do autor e não refletem necessariamente o ponto de vista da Hagnos.

Todos os direitos desta edição reservados à
EDITORA HAGNOS LTDA.
Rua Geraldo Flausino Gomes, 42, conj. 41
CEP 04575-060 — São Paulo, SP
Tel.: (11) 5990-3308

E-mail: hagnos@hagnos.com.br
Home page: www.hagnos.com.br

Editora associada à:

Dados Internacionais de Catalogação na Publicação (CIP)
(Câmara Brasileira do Livro, SP, Brasil)

Lopes, Hernandes Dias

 1Pedro: com os pés no vale e o coração no céu / Hernandes Dias Lopes. -- São Paulo: Hagnos, 2012. (Comentários expositivos Hagnos).

 ISBN 978-85-7742-110-7

1. Bíblia. N. T. Epístolas de Pedro - Crítica e interpretação
2. Palavra de Deus (Teologia)
3. Vida Cristã
I. Título

12-08105   CDD 227.9206

Índices para catálogo sistemático:
1. Cartas de Pedro: Novo Testamento: Interpretação e crítica   227.9206
2. Epístolas de Pedro: Interpretação e crítica   227.9206
3. Pedro: Epístolas: Interpretação e crítica   227.9206

Dedicatória

Dedico este livro ao presbítero Oto Jairo Lopes Vargas, homem crente, amigo fiel, irmão precioso, cooperador incansável, bênção de Deus em minha vida, família e ministério.

Sumário

Prefácio 7

1. Introdução à Primeira Carta de Pedro
   (1Pe 1.1,2) 11

2. Salvação, presente de Deus
   (1Pe 1.1-12) 27

3. O estilo de vida dos salvos
   (1Pe 1.13-25) 45

4. O crescimento espiritual dos salvos
   (1Pe 2.1-10) 61

5. Submissão, uma marca do povo de Deus
   (1Pe 2.11-25) 79

6. O relacionamento saudável entre marido e mulher
   (1Pe 3.1-7) 97

7. A vida vitoriosa do cristão
   (1Pe 3.8-22) 115

8. Como transformar o sofrimento em triunfo
   (1Pe 4.1-19) 141

9. Uma exortação solene à igreja de Deus
   (1Pe 5.1-14) 165

Prefácio

A Primeira Carta de Pedro é uma fonte de consolo para os dias sombrios, um bálsamo do céu para os que caminham pelos vales escuros da vida e um tônico espiritual para os que sofrem injustiças e são fuzilados pelo vendaval da perseguição. Pedro escreve para os cristãos perseguidos, desterrados e espoliados da Ásia Menor. Mesmo perdendo suas casas, suas terras, seus bens e sua liberdade, esse povo caminhava com os pés no vale, mas com o coração no céu. Mesmo suportando o fogo da perseguição, esse povo era inundado por uma alegria indizível e cheia de glória.

A alegria do povo de Deus não provém das riquezas deste mundo nem do reconhecimento das autoridades. Ao contrário, essa alegria é a despeito das perdas e da perseguição. Não é uma alegria fabricada na terra, mas derramada desde o céu. Não é uma alegria produzida pela prosperidade material, mas resultado da herança celestial.

Pedro mostra que a herança da vida eterna desemboca numa vida santa aqui e agora. O povo de Deus é chamado para expressar no mundo o caráter santo do Deus a quem serve. A igreja é o povo eleito de Deus, o santuário de Deus, as pedras vivas do santuário. A igreja é um reino de sacerdotes e ao mesmo tempo o rebanho de Cristo.

Uma das ênfases mais importantes desta epístola é a atitude humilde, reverente e submissa com que a igreja deve portar-se no mundo. Devemos ser submissos a Deus e às autoridades constituídas. A submissão deve estar presente no ambiente de trabalho e também na família. A submissão dos cristãos à liderança da igreja e o pastoreio exemplar dessa liderança são destaques desta missiva apostólica. Deus resiste aos soberbos, mas dá graça aos humildes. No reino de Deus, ser grande é ser servo de todos.

O apóstolo Pedro deixa claro que a vida cristã não é indolor. O sofrimento faz parte da jornada do peregrino rumo ao céu. A cruz precede a coroa, e o sofrimento é o prelúdio da glória. Aqui somos estrangeiros e forasteiros. Não temos pátria permanente aqui. Não temos residência fixa aqui. Estamos a caminho da nossa Pátria celestial. Nossa Pátria está no céu. Nossa herança imarcescível está no céu. Nessa viagem rumo ao céu teremos de suportar o fogo da perseguição. Da mesma forma que o mundo odiou a Cristo, também nos odiará. Esse fogo, porém, só pode queimar nossas amarras. Esse fogo só pode depurar-nos, mas não nos destruir. Estamos seguros nas mãos daquele que criou o universo. Ele é poderoso para nos livrar, nos fortificar e nos fundamentar. Ele é o Deus de toda a graça. Vivemos nele, somos dele e caminhamos para ele.

Leia este livro com a alma sedenta e receba de Deus o mesmo encorajamento que recebi enquanto escrevia este texto!

Hernandes Dias Lopes

Capítulo 1

Introdução à Primeira Carta de Pedro
(1Pe 1.1,2)

A Primeira Carta de Pedro é considerada uma carta católica ou geral. Diferentemente das cartas paulinas, foi endereçada a um grupo maior de cristãos, espalhados por diversas regiões da Ásia Menor. Edmund Clowney entende que esta carta é o mais condensado resumo da fé cristã e da conduta que ela inspira em todo o Novo Testamento.[1] Seu propósito principal está inconfundivelmente explícito: *... vos escrevo resumidamente, exortando e testificando, de novo, que esta é a genuína graça de Deus; nela estai firmes* (5.12).

Vamos destacar nesta introdução alguns pontos importantes.

O autor da carta

Há um consenso praticamente unânime de que esta epístola foi escrita por Pedro. Assim atestaram os pais da Igreja, os reformadores e todos os estudiosos sérios das Escrituras desde as mais priscas eras. Somente alguns teólogos liberais, já no século 19, colocaram em dúvida a autoridade petrina, em oposição às abundantes provas e às insofismáveis evidências documentadas havia quase dois milênios. Já nos primórdios da história eclesiástica, os pais da Igreja Policarpo, Irineu, Clemente de Alexandria, Tertuliano bem como o historiador Eusébio se referiram a esta epístola como a carta de Pedro.[2]

Werner Kummel, em oposição a essas evidências, diz que a linguagem de 1Pedro, além de ser vazada em um grego impecável, traz citações do Antigo Testamento originadas, sem exceção, na Septuaginta. Segundo esse escritor alemão, tais características são inconcebíveis para Pedro, o galileu.[3] Simon Kistemaker discorda do pensador retromencionado: tendo como base tanto as evidências internas quanto as externas, além das considerações históricas e estilísticas, aceita 1Pedro como um livro apostólico escrito por Pedro. Segundo Kistemaker, o ponto de vista tradicional parece ser mais razoável que qualquer hipótese alternativa.[4] Estou de pleno acordo com Edmund Clowney, que afirma que a maior segurança quanto à autenticidade de 1Pedro vem da própria carta. Sua mensagem é intimamente ligada aos discursos de Pedro, conforme registrados no livro de Atos.[5]

A Primeira Carta de Pedro foi o livro mais antigo e mais unanimemente aceito como autêntico. Sua veracidade e autenticidade de Pedro nunca foram contestadas. Tanto a evidência externa quanto a interna argumentam fortemente a favor da autoria petrina.[6]

Pedro foi um pescador galileu, da cidade de Betsaida, irmão de André, chamado por Cristo para ser discípulo. Seu nome é Simão, em aramaico Cefas, conhecido em grego como Pedro, cujo significado é "rocha" ou "fragmento de rocha". Pedro foi escolhido por Cristo como apóstolo, e seu nome ocupa sempre o topo dessa lista. Líder natural entre o colégio apostólico, desfrutou com Tiago e João lugar de intimidade ao lado do Senhor. Guilherme Orr diz que Pedro foi porta-voz dos doze e figura de proa na igreja primitiva. Enquanto o nome de Paulo é mencionado 162 vezes, e os nomes de todos os outros apóstolos juntos são citados 142 vezes, Pedro é citado nominalmente 210 vezes.[7]

Em virtude de um temperamento esquentado, Pedro algumas vezes falava sem pensar, oscilando entre coragem e covardia, entre avanços e recuos. Mesmo tendo negado a Cristo, foi restaurado e poderosamente usado por Jesus para abrir a porta do evangelho tanto a judeus como a gentios. Foi encarregado de apascentar o rebanho de Cristo e fortalecer a seus irmãos. Essa missiva é o cumprimento desse ministério que Cristo lhe confiou. Na mesma linha de pensamento, Myer Pearlman escreve: "Esta epístola nos oferece uma ilustração esplêndida de como Pedro cumpriu a missão que lhe foi dada pelo Senhor: *Tu, pois, quando te converteres, fortalece os teus irmãos* (Lc 22.32).[8]

Os destinatários da carta

Pedro escreve aos forasteiros e dispersos do Ponto, Galácia, Capadócia, Ásia e Bitínia, cinco partes do império romano, todas elas localizadas na Ásia Menor (atual Turquia). Os cristãos que receberam essa carta eram gentios e judeus. Estavam espalhados e dispersos por uma região da Ásia diferente daquela que Paulo alcançou na primeira viagem missionária. Na segunda viagem missionária de Paulo, o apóstolo foi proibido de entrar nessa região e conduzido por Deus até a província da Macedônia. Agora, aquelas comunidades cristãs em toda a região da Ásia Menor ao norte e a oeste da cordilheira do Taurus recebem de Pedro uma carta de encorajamento. Simon Kistemaker arremata esse assunto: "Concluímos, portanto, que Pedro dirige sua carta ao "resto da Ásia Menor que não havia sido evangelizado por Paulo".[9]

Que eles eram na sua maioria gentios, depreende-se do fato que Pedro descreve a vida pretérita deles como de fútil procedimento e também assegura que não eram considerados "povo", mas agora eram "raça eleita".

Pedro usa três palavras diferentes para descrever seus destinatários:

Em primeiro lugar, o termo grego *paroikos,* cujo significado é "exilados". Essa palavra descreve o morador de um país estrangeiro. Um *paraikos* é alguém que está longe do seu lar, em terra estranha, e cujos pensamentos sempre retornam à pátria. A residência estrangeira chama-se *paroikia,* de onde vem nossa palavra "paróquia".[10] Os cristãos, em qualquer lugar, são um grupo de pessoas cujos olhos se voltam para Deus e cuja lealdade está mais além: *Na verdade, não temos aqui cidade permanente, mas buscamos a que há de vir* (Hb 13.14). William Barclay diz que "o mundo é uma ponte; o homem sábio passará por ela, mas não edificará sobre ela sua casa, pois o cristão é um exilado da eternidade".[11] Na mesma linha de pensamento, Mueller explica que *paroikos* é um termo específico e técnico para designar uma classe da população que, embora residente em determinado lugar, não tinha plenos direitos de cidadania. Assim, a melhor maneira de traduzir *paroikos* seria "estrangeiros residentes".[12]

Em segundo lugar, o termo grego *diáspora*, cujo significado é "dispersão". Essa palavra era atribuída aos judeus dispersos por entre as nações, em virtude de perseguição ou mesmo por interesses particulares. Agora, essa mesma palavra é atribuída aos cristãos, espalhados pelo mundo, devido aos ventos da perseguição. Só que a perseguição, porém, em vez de destruir a igreja, promoveu-a. O vento da perseguição apenas espalhou a semente, e cada cristão era uma semente que florescia onde estava plantado.

Em terceiro lugar, o termo grego *eklektos*, cujo significado é "eleitos". Os cristãos foram eleitos por Deus desde a eternidade, antes da fundação do mundo. Foram eleitos em Cristo para a salvação, mediante a fé na verdade e a santificação do Espírito. Foram eleitos para a santidade e a irrepreensibilidade. Não fomos nós quem escolhemos a Deus, foi Deus mesmo quem nos escolheu. Não fomos nós que amamos a Deus primeiro, foi ele quem nos amou e nos atraiu com cordas de amor. Nosso amor por Deus é apenas uma resposta ao amor de Deus por nós. Não fomos escolhidos porque cremos em Cristo; cremos em Cristo porque fomos escolhidos (At 13.48). Não fomos escolhidos porque éramos santos, mas para sermos santos (Ef 1.4). Não fomos escolhidos porque praticávamos boas obras, mas para as boas obras (Ef 2.10). A eleição divina é eterna e incondicional.

A data em que a carta foi escrita

Se a autoria de Pedro é matéria que desfruta de consenso entre os eruditos, a data é matéria de grandes debates. Alguns colocam a carta antes da perseguição deflagrada pelo imperador Nero, e outros a situam após o incêndio de Roma ocorrido em julho de 64 d.C. Robert Gundry, erudito estudioso do Novo Testamento, é categórico em afirmar: "O tema da perseguição aos cristãos, que percorre essa epístola toda, sugere que Pedro a escreveu por volta de 63 d.C., pouco antes de seu martírio em Roma, por ordens de Nero, o que sucedeu em 64 d.C.[13] Nessa mesma trilha de pensamento, Warren Wiersbe diz que mui provavelmente Pedro chegou a Roma depois que Paulo foi solto de seu primeiro encarceramento, por volta de 62 d.C. Sendo assim, Pedro teria escrito sua epístola em cerca de 63 d.C.[14] Edmund Clowney reforça essa tese uma vez que Pedro não cita Paulo em sua carta nem Paulo cita Pedro em suas epístolas da prisão.[15]

Simon Kistemaker dá seu parecer oportuno sobre a data em que a carta foi escrita:

> Aceitamos uma data de redação anterior a 68 d.C., quando Nero cometeu suicídio. De acordo com a tradição, Pedro foi crucificado nas cercanias de Roma nos últimos anos do governo de Nero. Pelo fato de 1Pedro ter várias referências às epístolas de Paulo, presumimos que Pedro tenha escrito sua epístola depois de Paulo ter escrito as suas. Romanos foi escrito em 58 d.C., quando Paulo terminou sua terceira viagem missionária, e Paulo escreveu Efésios e Colossenses quando passou dois anos (61-63 d.C.) em Roma sob prisão domiciliar. Assim, devemos estabelecer a data para 1Pedro depois da elaboração dessas epístolas na prisão.[16]

Os leitores de Pedro estão passando por um tempo de prova e perseguição. Tal perseguição assumira forma de acusações caluniosas, ostracismo social, levantes populares e ações policiais locais.[17] O fogo da perseguição já se está espalhando hoje, e os cristãos deveriam estar preparados para enfrentar esses tempos difíceis. Na época, o simples fato de alguém se declarar cristão já era motivo para sofrer retaliações. Os cristãos, entrementes, deveriam suportar, com alegria o sofrimento por causa de sua fé. Roy Nicholson diz que, com um tom enérgico, Pedro insta os cristãos dispersos à coragem, paciência, esperança e santidade de vida diante dos maus-tratos dos seus inimigos.[18] Concordo com Edmund Clowney no sentido de que as mesmas tempestades de perseguição que rugiram no passado estão acontecendo hoje. Há muitos irmãos nossos que sofreram prisões e martírios nos países comunistas e ainda sofrem toda sorte de perseguição religiosa nos países islâmicos e entre os hindus.[19]

De onde Pedro escreveu a carta

Somos informados de que Pedro escreveu esta carta da Babilônia (5.13). A grande questão é saber a que Babilônia se refere Pedro. Havia naquela época três cidades com esse nome.

A primeira era uma pequena cidade que ficava no norte do Egito, onde se localizava num posto avançado do exército romano. Ali havia uma comunidade de judeus e alguns cristãos, mas é pouco provável que Pedro estivesse nessa região quando escreveu essa missiva.

A segunda Babilônia ficava no Oriente, junto ao rio Eufrates, na Mesopotâmia. Também nessa cidade havia grande comunidade de judeus e certamente nessa época os cristãos já povoavam a cidade. Calvino é de opinião que Pedro escreveu esta carta do Oriente, uma vez que Paulo não faz referência a Pedro em sua epístola aos Romanos nem cita Pedro nas cinco cartas que escreveu de Roma.[20]

A terceira Babilônia era Roma. Pedro teria usado o mesmo recurso que o apóstolo João empregou no livro de Apocalipse (Ap 17.4-6,9,18; 18.10), referindo-se a

Roma por meio de um código, em linguagem metafórica. A maioria dos estudiosos, dentre eles os pais da Igreja Eusébio e Jerônimo, entende que Pedro escreveu sua carta de Roma e, por se tratar de um tempo de perseguição, preferiu referir-se à capital do império por meio de códigos.[21] Robert Gundry afirma que os primeiros pais da Igreja entenderam que "Babilônia" era uma referência a Roma. Diz ainda que a tradição desconhece a existência de qualquer igreja em Babilônia da Mesopotâmia e nada sabe de alguma visita ali feita por Pedro; todavia, a tradição indica que Pedro morreu em Roma.[22] Por outro lado, Guilherme Orr ressalta que há escassa evidência para substanciar este ponto de vista.[23]

É quase impossível fechar questão nesse ponto. Melhor é deixar aberta a questão do local onde estava Pedro ao escrever sua epístola. Holmer chega a escrever: "Sobre a época e o local em que Pedro redigiu sua carta, paira uma incerteza impossível de eliminar".[24]

Características especiais da carta

A Primeira Carta de Pedro é considerada a mais pastoral e terna do Novo Testamento. A nota dominante é o permanente alento que Pedro dá a seus leitores para que se mantenham firmes em sua conduta mesmo em face da perseguição.[25]

Myer Pearlman diz que a carta foi escrita para animar os fiéis a estarem firmes durante o sofrimento e levá-los à santidade.[26] De fato, trata-se de uma das mais comoventes peças da literatura do período da perseguição.[27] Pedro se dirige aos cristãos da Ásia como um verdadeiro pastor que cuida do seu rebanho, obedecendo ao desiderato recebido de Cristo (Jo 21.15-17).

Algumas características especiais podem ser notadas nessa epístola, como seguem.

Em primeiro lugar, *a carta tem o melhor grego do Novo Testamento*. A Primeira Carta de Pedro foi escrita num grego bastante culto.[28] Isso provocou sérias suspeitas acerca da autoria petrina. Alguns comentaristas chegam a rejeitar peremptoriamente a autoria de Pedro, uma vez que ele era um pescador galileu, homem iletrado e inculto que não teria condições de usar linguagem tão escorreita e imagens tão vívidas, no melhor grego da época.

Em face desse arrazoado, destacamos algumas ponderações.

1. Pedro morava na Galileia, a região mais influenciada pelo helenismo, ou seja, pela cultura e pela língua grega. Consequentemente, os galileus falavam o grego e ainda estavam familiarizados com a Septuaginta, a versão grega do Antigo Testamento. Sendo assim, a autoria de Pedro não é de todo improvável. Reforçando esse pensamento, Mueller escreve: "A Galileia no tempo de Jesus era uma região mista e bastante cosmopolita. Certo é que a influência helenista lá se fazia sentir como em nenhuma outra parte da Palestina".[29] Mueller prossegue informando que o grego era linguagem corrente na Palestina no tempo de Jesus, o que valeria especialmente para a Galileia, mais ao norte e mais aberta ao comércio e cultura, bem como a imigrantes gentios.[30] Holmer enfatiza que, para o império romano como um todo, a "Bíblia" não era o Antigo Testamento hebraico, mas a Septuaginta. Por essa razão, é provável que Pedro também estivesse familiarizado com ela, do mesmo modo que os destinatários da carta. Um missionário, porém, utiliza a Bíblia que é entendida na terra em que atua, nesse caso, a Septuaginta.[31]

2. Pedro diz que escreveu esta epístola em parceria com Silvano (5.12), um dos homens "notáveis" da igreja primitiva (At 15.22). Esse Silvano foi o mesmo Silas que acompanhou Paulo na segunda viagem missionária. Ele era cidadão romano e também profeta (At 15.32). Bem poderia ser que Pedro fosse o autor da carta e Silvano o seu amanuense.[32] Barclay sugere que Silvano foi o agente ou instrumento de Pedro para escrever esta carta.[33]

3. O mesmo Espírito que inspirou o conteúdo da carta poderia ter capacitado Pedro para escrevê-la de forma erudita e bela.

Em segundo lugar, *a carta destaca a chegada de um grande sofrimento*. Matthew Henry afirma que a principal intenção de Pedro em escrever esta carta foi preparar os cristãos para o sofrimento.[34] Pedro refere-se ao sofrimento em pelo menos quinze ocasiões ao longo da missiva, usando para isso seis termos gregos diferentes.[35] O tema "sofrimento" percorre toda a epístola. As pessoas para as quais Pedro escreve estão sofrendo múltiplas provações (1.6). Submetidos a uma prova de fogo (1.7), padecem uma campanha de difamação (2.12,15; 3.16; 4.4). A perseguição aos cristãos está crescendo (4.12,14,16; 5.9) e eles não devem ficar surpresos com o sofrimento (4.12). Ao contrário, devem estar preparados a sofrer por causa da justiça (3.14,17) e ser coparticipantes do sofrimento de Cristo (4.13).[36] Em virtude do encorajamento que esta carta traz à igreja sofredora, Warren Wiersbe chega a descrever Pedro como o apóstolo da esperança, enquanto Paulo é o apóstolo da fé, e João é o apóstolo do amor.[37]

Os cristãos da Ásia, além de estarem espalhados pelas províncias romanas no continente asiático, ainda se sentiam sem pátria, sem chão, como peregrinos. A dispersão não era apenas geográfica. Agora, era impulsionada também pelos ventos furiosos da perseguição. A perseguição atingia os cristãos não porque eles praticavam o mal, mas porque praticavam o bem. Os cristãos eram perseguidos não porque eram rebeldes, mas porque eram cordatos. Ser cristão passou a ser ilícito no império. Os cristãos passaram a ser caçados, espoliados, torturados e mortos pelo simples fato de professarem o nome de Cristo. Esse fogo ardente da perseguição não atingia apenas os cristãos da Ásia, mas se espalhava por todo o mundo.

Em terceiro lugar, *a carta destaca a graça de Deus*. Warren Wiersbe tem razão quando afirma que somente quando dependemos da graça de Deus é que podemos glorificá-lo em meio ao sofrimento. Pedro escreve: *... vos escrevo resumidamente, exortando e testificando, de novo, que esta é a genuína graça de Deus; nela estai firmes* (5.12). A palavra "graça" é usada em todos os capítulos de 1Pedro (1.2,10,13; 2.19,20; 3.7; 4.10; 5.5,10,12).[38]

Em quarto lugar, *a carta destaca a glória de Deus*. Está coberto de razão Warren Wiersbe quando diz que tudo que começa com a graça de Deus que conduz à glória (5.10). Assim, sofrimento, graça e glória unem-se para formar uma mensagem de encorajamento para os cristãos que enfrentam tribulações e perseguições.[39] Esses temas são resumidos em 1Pedro 5.10.

Em quinto lugar, *a carta destaca a doutrina de Deus*. A doutrina de Deus é central na epístola de Pedro. O apóstolo enfatiza logo no início de sua epístola a doutrina do Deus Triúno: o Pai elegeu seu povo de acordo com sua presciência, Jesus Cristo verteu seu sangue por esse povo, e o Espírito Santo o santificou (1.1,2).

Em sexto lugar, *a carta destaca a doutrina de Cristo*. Pedro enfatiza tanto a humanidade quanto a divindade de

Cristo. Mostra Cristo como nosso exemplo (2.21), nosso substituto (2.24) que morreu pelos nossos pecados (3.18). Pedro apresenta Cristo como Senhor (1.3; 3.15).

Em sétimo lugar, *a carta destaca a doutrina do Espírito Santo*. Mesmo em esparsas referências, o apóstolo descreve de maneira ampla a obra do Espírito Santo. O Espírito santifica o povo de Deus (1.2) e orienta a pregação (1.12). Agiu na ressurreição de Cristo (3.18) e repousa sobre os cristãos que sofrem (4.14).

Em oitavo lugar, *a carta destaca a doutrina da igreja*. Embora a palavra *igreja* não apareça na carta, toda a epístola se refere a ela ao descrever o povo de Deus como "eleitos" e "forasteiros do mundo" (1.1,2); "raça eleita, sacerdócio real, nação santa, povo de propriedade exclusiva de Deus" (2.9).

Em nono lugar, *a carta destaca um chamado veemente à santidade em meio ao sofrimento*. O sofrimento pode trazer endurecimento de coração e decepção com a fé. Muitos, como a semente lançada entre os espinhos, sucumbem diante da dor. Outros se revoltam, como a mulher de Jó. Há outros que preferem a apostasia ao martírio, como Demas. Pedro escreve essa missiva para encorajar os cristãos à santidade em meio ao sofrimento.

Em décimo lugar, *a carta destaca a salvação como o fundamento da nossa alegria*. Os cristãos não tinham pátria permanente. Viviam dispersos pelos cantos da terra, mas podiam, mesmo nessas fugas constantes, alegrar-se na salvação. Essa salvação foi planejada pelo Deus Pai, executada pelo Deus Filho e aplicada pelo Deus Espírito Santo. A própria Trindade estava engajada nessa gloriosa salvação, e os cristãos, mesmo provando o fogo ardente da perseguição, deveriam exultar por causa de sua herança imarcescível e gloriosa.

Em 11º lugar, *a carta destaca as mesmas ênfases dos sermões de Pedro em Atos*. Citando C. H. Dodd, Barclay diz que a pregação da igreja primitiva estava baseada em cinco pontos principais:
1. O tempo do cumprimento tinha amanhecido; a idade messiânica havia começado. Esta é a última palavra de Deus. Inaugurou-se uma nova ordem e os eleitos são chamados a unir-se à nova comunidade (At 2.14-16; 3.12-26; 4.8-12; 10.34-43; 1Pe 1.3,10-12; 4.7).
2. Essa nova era tinha chegado por causa da vida, morte e ressurreição de Jesus Cristo, em cumprimento das profecias do Antigo Testamento e como resultado do definido conselho e presciência de Deus (At 2.20-31; 3.13,14; 10.43; 1Pe 1.20,21).
3. Em virtude da ressurreição, Jesus foi exaltado à destra de Deus como o cabeça messiânico do novo Israel (At 2.22-26; 3.13; 4.11; 5.30,31; 10.39-42; 1Pe 1.21; 2.7,24; 3.22).
4. Esses acontecimentos messiânicos alcançarão pleno cumprimento com a volta de Cristo em glória e com o juízo dos vivos e dos mortos (At 3.19-23; 10.42; 1Pe 1.5,7,13; 4.5,10-18; 5.1,4).
5. Esses fatos são a base de um apelo ao arrependimento e do oferecimento do perdão, do Espírito Santo e da promessa da vida eterna (At 2.38,39; 3.19; 5.31; 10.43; 1Pe 1.13-25; 2.1-3; 4.1-5).[40]

Em 12º lugar, *a carta destaca a segunda vinda de Cristo, a consumação da nossa esperança*. A esperança da segunda vinda de Cristo, como a consumação de todas as coisas, tal qual um fio dourado, percorre toda a epístola (1.5,7,13; 2.12; 4.17; 5.1,4). Estamos no mundo, mas não somos do mundo. Nossa herança não está aqui. Nossa recompensa não está aqui. Nossa pátria permanente não está aqui.

Aguardamos nosso Senhor que está no céu. Mueller diz que esta carta inteira respira essa perspectiva e os leitores são exortados repetidamente a fazerem dela a sua perspectiva de vida.[41]

Notas do capítulo 1

[1] Clowney, Edmund. *The Message of 1 Peter.* Downers Grove, IL: Inter-Varsity Press, 1988, p. 15.
[2] Kistemaker, Simon. *Epístolas de Pedro e Judas.* São Paulo: Cultura Cristã, 2006, p. 12.
[3] Kummel, Werner G. *Introduction to the New Testament.* Nashville, TN: Abingdon, 1966, p. 297.
[4] Kistemaker, Simon. *Epístolas de Pedro e Judas*, p. 17.
[5] Clowney, Edmund. *The Message of 1 Peter*, p. 20.
[6] Nicholson, Roy S. *A Primeira Epístola de Pedro.* Em: *Comentário bíblico Beacon.* Vol. 10. Rio de Janeiro: CPAD, 2006, p. 205.
[7] Orr. Guilherme W. *27 Chaves para o Novo Testamento.* São Paulo: Imprensa Batista Regular, 1976, p. 57,58.
[8] Pearlman, Myer. *Através da Bíblia.* Miami: Vida, 1987, p. 323.
[9] Kistemaker. *Epístolas de Pedro e Judas,* p. 26.
[10] Barclay, William. *Santiago, I y II Pedro.* Buenos Aires: La Aurora, 1974, p. 193,194.
[11] Barclay, William. *Santiago, I y II Pedro*, p. 194.
[12] Mueller, Ênio R. *I Pedro: Introdução e comentário.* São Paulo: Vida Nova, 2007, p. 30.

[13] GUNDRY, Robert H. *Panorama do Novo Testamento*. São Paulo: Vida Nova, 1978, p. 390.
[14] WIERSBE, Warren W. *Comentário bíblico expositivo*. Vol. 6. Santo André: Geográfica, p. 501.
[15] CLOWNEY, Edmund. *The Message of 1 Peter*, p. 23.
[16] KISTEMAKER, Simon. *Epístolas de Pedro e Judas*, p. 29.
[17] GUNDRY, Robert H. *Panorama do Novo Testamento*, p. 390.
[18] NICHOLSON, Roy S. *A Primeira Epístola de Pedro*, p. 207.
[19] CLOWNEY, Edmund. *The Message of 1 Peter*, p. 15.
[20] Efésios, Filipenses, Colossenses, Filemom e 2Timóteo.
[21] NICHOLSON, Roy S. *A Primeira Epístola de Pedro*, p. 206.
[22] GUNDRY, Robert H. *Panorama do Novo Testamento*, p. 391.
[23] ORR, Guilherme W. *27 Chaves para o Novo Testamento*, p. 59.
[24] HOLMER, Uwe. *Primeira Carta de Pedro*. In: *Cartas de Tiago, Pedro, João e Judas*. Curitiba: Esperança, 2008, p. ##.
[25] BARCLAY, William. *Santiago, I y II Pedro*, p. 160.
[26] PEARLMAN, Myer. *Através da Bíblia*, p. 323.
[27] BARCLAY, William. *Santiago, I y II Pedro*, p. 160.
[28] MUELLER, Ênio R. *I Pedro: Introdução e comentário*, p. 19.
[29] MUELLER, Ênio R. *I Pedro: Introdução e comentário*, p. 21.
[30] MUELLER, Ênio R. *I Pedro: Introdução e comentário*, p. 21.
[31] HOLMER, Uwe. *Primeira Carta de Pedro*, p. 134.
[32] GUNDRY, Robert H. *Panorama do Novo Testamento*, p. 390.
[33] BARCLAY, William. *Santiago, I y II Pedro*, p. 166.
[34] HENRY, Matthew. *Comentário Bíblico Atos-Apocalipse*. Rio de Janeiro: CPAD, 2010, p. 857.
[35] WIERSBE, Warren W. *Comentário bíblico expositivo*, p. 501.
[36] BARCLAY, William. *Santiago, I y II Pedro*, p. 184.
[37] WIERSBE, Warren W. *Comentário bíblico expositivo*, p. 502.
[38] WIERSBE, Warren W. *Comentário bíblico expositivo*, p. 502,503.
[39] WIERSBE, Warren W. *Comentário bíblico expositivo*, p. 503.
[40] BARCLAY, William. *Santiago, I y II Pedro*, p. 163.
[41] MUELLER, Ênio R. *I Pedro: Introdução e comentário*, p. 42.

Capítulo 2

Salvação, presente de Deus
(1Pe 1.1-12)

Já consideramos no capítulo anterior a introdução desta epístola. Agora, prosseguiremos com sua exposição. De acordo com o modo antigo de se escrever, 1Pedro começa com a sequência: autor, destinatários, saudação.[42]

Vamos destacar quatro fatos importantes apresentados na introdução.

Em primeiro lugar, *o remetente da carta*. *Pedro, apóstolo de Jesus Cristo...* (1.1). Na época em que os livros eram escritos em rolos, o nome do remetente e dos destinatários era informado logo no início do documento, para que se soubesse com clareza de onde o texto procedia e a quem era enviado. Pedro se apresenta como apóstolo de Jesus Cristo. Sua autoridade não procede de si mesmo, mas é delegada pelo próprio Filho de Deus. Simon Kistemaker alerta que um apóstolo não transmite suas próprias ideias sobre a mensagem daquele que o envia.[43] Pedro fala da parte de Cristo, enviado por Cristo e com a autoridade de Cristo. Segundo Ênio Mueller, "o que vai se ler remonta para além do apóstolo, provindo em última instância do próprio Cristo".[44] Ninguém tem competência para constituir-se apóstolo, e nenhuma igreja ou denominação pode legitimamente constituir alguém apóstolo. Essa é uma prerrogativa exclusiva de Jesus Cristo.

Uwe Holmer diz acertadamente que a palavra *Cristo* não é um nome como entendemos hoje, mas um título que o significa o Ungido, o Messias. Pedro é, portanto, um apóstolo do Messias Jesus. O Crucificado foi exaltado por Deus como Senhor e Messias (At 2.36).[45]

Em segundo lugar, *os destinatários da carta. ... aos eleitos que são forasteiros da Dispersão no Ponto, Galácia, Capadócia, Ásia e Bitínia* (1.1). Antes de Pedro nos dizer onde vivem os destinatários da missiva, ele os descreve espiritual, social e politicamente.[46] Esta carta é uma epístola geral, enviada a várias igrejas da Ásia Menor, aquela parte que Paulo não evangelizou, ou seja, as províncias localizadas no norte, leste, oeste e centro da Ásia Menor.

Esses cristãos são descritos como eleitos de Deus, mas estão dispersos pelo mundo. São forasteiros, vivem como estrangeiros na terra e exilados da eternidade, mas seus nomes estão arrolados no céu. Eles não têm aqui cidade permanente, mas caminham para a cidade santa. Vivem na terra, mas são cidadãos dos céus. Uwe Holmer descreve os cristãos como a "semeadura" de Deus que precisa ser disseminada. É assim que os cristãos se inserem na diáspora.[47]

Simon Kistemaker caracteriza os destinatários como segue:[48]

Espiritualmente, são eleitos de Deus. Os cristãos são o povo de Deus, escolhidos na eternidade, separados do mundo, padecendo o ódio do mundo e suportando sofrimento e perseguição, mas ao mesmo tempo proclamando as virtudes de Deus no mundo (2.9).

Socialmente são, forasteiros no mundo. Os cristãos são moradores estrangeiros deste mundo (Hb 11.13). Aqui não é o seu lar, pois sua estada na terra é temporária (2.11). Sua cidadania é do céu (Fp 3.20). Portanto, sendo eleitos de Deus, vivem aqui na terra como exilados e residentes temporários. William Barclay diz que o povo de Deus é o povo exilado da eternidade. Embora esteja no mundo, não é do mundo. Mesmo apartado do mundo, insere-se no mundo como sal e luz.[49]

Politicamente são dispersos. A palavra "dispersão" se refere ao exílio e a seus resultados. Após a morte de Estêvão, os judeus cristãos foram espalhados e tiveram que ir morar em outros países (At 8.1; 11.19; Tg 1.1).

Ênio Mueller observa que os cristãos têm a sua dispersão originada na eleição. O fato de serem eleitos por Deus, e assim separados do mundo, faz que o mundo todo seja diáspora para eles. Onde quer que estejam, encontram-se sob o signo da eleição de Deus, que os torna diferentes e os desarraiga do mundo, mesmo morando em seu próprio chão. Eles já não têm mais aqui uma pátria ou propriedades consideradas exclusivamente suas; experimentaram uma realidade qualitativamente diferente e aspiram agora pela estada definitiva em sua "nova pátria".[50]

Em terceiro lugar, *o plano eterno de Deus. Eleitos, segundo a presciência de Deus Pai, em santificação do Espírito, para a obediência e a aspersão do sangue de Jesus Cristo...* (1.2). Logo no início de sua missiva, Pedro deixa claro que a salvação é obra exclusiva do Deus Triúno, e não fruto do merecimento humano. Três verdades são afirmadas aqui.

1. *O Pai escolhe mediante sua presciência.* A eleição divina é um decreto eterno de Deus. O Senhor nos escolheu antes dos tempos eternos,[51] em Cristo,[52] pela santificação do Espírito e pela fé na verdade,[53] para sermos santos e irrepreensíveis[54] e praticarmos boas obras.[55] A presciência (*prognosis*) de Deus, ou seu conhecimento prévio, não significa meramente que Deus sabe quem será salvo, mas que está ativamente empenhado no processo, determinando antes do tempo a salvação de cada um de nós e concretizando-a, depois, no tempo e no espaço.[56] Concordo com Ênio Mueller quando ele diz que estamos diante de um paradoxo, que tem seu fundamento último na inapreensibilidade de Deus. Por um lado, a nossa salvação depende completamente da nossa decisão e somos pessoalmente responsáveis por ela. Por outro lado, contudo, a nossa salvação repousa totalmente na eleição prévia da parte de Deus, na sua incompreensível bondade para conosco em Jesus Cristo.[57]

2. *O Filho redime com seu sangue.* A eleição eterna não dispensa o sacrifício de Cristo na cruz. O Deus que nos escolheu antes da fundação do mundo para a salvação, esse mesmo determinou salvar-nos mediante a morte vicária de seu Filho. O sangue de Cristo vertido na cruz é a causa meritória da nossa salvação.

3. *O Espírito Santo santifica os eleitos redimidos.* O Pai escolhe, o Filho redime e o Espírito aplica a salvação nos eleitos e santifica-os para a vida eterna. Todos aqueles que são eleitos pelo Pai são redimidos pelo sangue de Cristo e santificados pelo Espírito Santo. A eleição divina, longe de

ser um desestímulo à santificação, é seu maior encorajamento, uma vez que fomos eleitos e redimidos pela santificação e para a santificação.

Em quarto lugar, *a saudação apostólica. ... graça e paz vos sejam multiplicadas* (1.2b). A graça é a base da salvação, e a paz, seu resultado. A graça é a raiz, e a paz, seu fruto. A graça é a causa, e a paz, sua consequência. Não há graça sem paz nem paz sem graça. Ambas caminham juntas. A graça é o favor imerecido de Deus aos pecadores indignos, e a paz é o estado de reconciliação com Deus assim como a harmonia dela resultante.

A fonte e a natureza da salvação (1.3)

Num tempo de extrema perseguição, sofrimento e dor, o apóstolo Pedro inicia a sua carta com uma doxologia. Não começa com o homem, começa com Deus. Não inicia com as necessidades humanas, mas com os louvores que Deus merece. Aqui Pedro mostra a fonte da salvação: "Bendito o Deus e Pai de nosso Senhor Jesus Cristo, que segundo a sua muita misericórdia...". Pedro começa louvando a Deus por sua salvação. A salvação é uma obra exclusiva de Deus. Ele deve ser exaltado por tão grande salvação. Seu nome deve ser magnificado por presente tão auspicioso.

Antes de apresentarmos nossas dores, nossas lutas, nossas lágrimas e nossas perdas neste mundo, devemos levantar os olhos ao céu e exaltar aquele que nos amou, nos escolheu e providenciou todas as coisas para a nossa salvação. Quando exaltamos a Deus por quem ele é e por aquilo que ele tem feito por nós, sentimo-nos fortalecidos para enfrentarmos nossas leves e momentâneas lutas.

Pedro faz uma transição da fonte da salvação para a sua natureza, mostrando que o plano estabelecido na eternidade concretiza-se no tempo. Aquilo que foi planejado no céu realiza-se na terra. Duas verdades preciosas são aqui destacadas.

Em primeiro lugar, *a regeneração*. "... nos regenerou..." (1.3). A regeneração é uma obra do Espírito Santo em nós. Ele muda nossas disposições íntimas, dando-nos um novo coração, uma nova mente, uma nova vida. Nascemos da semente incorruptível. Temos não apenas um novo *status* (justificação), mas também uma nova vida (regeneração). Tornamo-nos filhos de Deus, membros de sua família. Ênio Mueller diz que o cristão renasce dentro de uma nova família (Ef 2.19), passando a ter com Deus uma relação de filho (Jo 1.12), e com Jesus, uma relação de irmão (Rm 8.29).[58]

Em segundo lugar, *a viva esperança. ... para uma viva esperança, mediante a ressurreição de Jesus Cristo dentre os mortos* (1.3). O apóstolo Paulo descreve o mundo pagão como sem esperança (Ef 2.12). Sófocles escreveu: "Não nascer é, inquestionavelmente, a maior felicidade. A segunda maior felicidade é, tão logo nascer, retornar ao lugar de onde se veio".[59] O cristianismo é a religião da esperança. Não caminhamos para um futuro desconhecido, marchamos para uma glória eterna. A regeneração nos leva a uma viva esperança. Somos regenerados para uma qualidade superlativa de vida.

Somos regenerados para a esperança, e essa esperança tem duas características: Primeiro, ela é viva. Segundo, ela é segura, pois está fundamentada na ressurreição de Jesus Cristo. Nossa esperança não é vaga e incerta, mas definida e garantida. Concordo com o parecer de Simon Kistemaker: "Sem a ressurreição de Cristo, nossa regeneração não seria possível e nossa esperança não faria nenhum sentido".[60]

A recompensa da salvação (1.4)

A salvação planejada na eternidade e realizada no tempo aponta para uma recompensa futura. Pedro escreve: *para uma herança incorruptível, sem mácula, imarcescível, reservada nos céus para vós outros* (1.4). Os eleitos de Deus, remidos pelo sangue, santificados pelo Espírito e regenerados para uma viva esperança, têm a promessa de uma herança gloriosa. Quais são as características dessa herança que está reservada nos céus para os salvos?

Em primeiro lugar, é uma herança incorruptível. A palavra grega *aftharton*, traduzida por "incorruptível", significa algo que não perece, não apodrece, não se deteriora. Roy Nicholson explica que *aftharton* pressupõe a ideia de não conter sementes de deterioração.[61] William Barclay acrescenta que essa palavra significava "não assolada por nenhum exército inimigo".[62]

Em segundo lugar, é uma herança imaculada. A palavra grega *amiantos*, traduzida por "sem mácula", significa algo absolutamente limpo, sem nenhum tipo de sujeira ou de contaminação que possa levar a uma posterior degeneração.

Em terceiro lugar, é uma herança imarcescível. A palavra grega *amarantos*, traduzida por "imarcescível", significa inalterável. É mais aplicada a coisas da natureza, representando na poesia "uma flor que nunca murcha nem perde a sua beleza". Em vez de murchar, ela permanece num frescor perpétuo, que nunca se deteriora quanto ao seu valor, graça e beleza.[63]

A segurança da salvação (1.5)

Como podemos saber que a salvação planejada na eternidade e executada no tempo não se perderá? Como ter certeza de que a salvação planejada pelo Deus Pai, executada pelo Deus Filho e aplicada pelo Deus Espírito Santo é segura? Que garantia temos de que aqueles que foram salvos permanecerão salvos para sempre? Qual é o alicerce da nossa certeza? O apóstolo Pedro nos dá a resposta com diáfana clareza. Destacamos três pontos importantes nesse sentido.

Em primeiro lugar, *a segurança de nossa salvação é garantida pelo próprio Deus. Que sois guardados pelo poder de Deus...* (1.5). A palavra que Pedro usa em grego é *frourein*, um termo militar. Significa que a nossa vida está guarnecida por Deus, que atua como sentinela de todos os nossos dias.[64] A segurança da salvação não está em nossas frágeis mãos, mas repousa sobre o poder de Deus. O mesmo Deus que nos salva também nos garante a segurança da salvação. Nada nem ninguém nos podem arrancar dos braços de Jesus. Nenhum poder no céu ou na terra nos pode afastar do amor de Deus que está em Cristo Jesus. Uma vez salvos, salvos sempre!

Em segundo lugar, *a segurança de nossa salvação é apropriada pela fé. ... mediante a fé* (1.5). A fé não é a causa meritória da nossa salvação, mas a causa instrumental. Apropriamo-nos da salvação pela graça mediante a fé. A fé é a mão que se estende para receber o presente da salvação.

Em terceiro lugar, *a consumação da salvação se dará na segunda vinda de Cristo. ... para a salvação preparada para revelar-se no último tempo* (1.5). Nossa salvação foi preparada para nós por Cristo por meio de sua obra expiatória. Ela será revelada de uma só vez no tempo de Deus. Todos verão a herança, mas apenas o cristão poderá possuí-la. O verbo "revelar", usado aqui, significa "tirar o véu ou cobertura". Jesus tirará o véu quando voltar para nos dar salvação gratuita e plena.[65]

Podemos afirmar à luz das Escrituras que já fomos salvos, estamos sendo salvos e seremos salvos. Com respeito à justificação, já fomos salvos. Com respeito à santificação, estamos sendo salvos. Com respeito à glorificação, seremos salvos. Fomos salvos da condenação do pecado na justificação. Estamos sendo salvos do poder do pecado na santificação. E seremos salvos da presença do pecado na glorificação. Agora temos o selo do Espírito, o penhor do Espírito, como garantia de que aquele que começou a fazer a boa obra em nós há de completá-la até o dia final. "Tempo" aqui é *kairós*, aquele que não é determinado cronologicamente. "No último tempo" denota aqui não o "tempo do fim", no sentido neotestamentário de todo o período que vai da primeira até a segunda vinda de Cristo, mas especificamente o período final dessa época, o "fim do fim".[66]

A alegria da salvação (1.6-9)

Vimos até aqui que, no passado, Deus ressuscitou Cristo e regenerou os seus eleitos; coloca diante deles um futuro aberto e glorioso; e, no presente, os guarda, mediante a fé que eles têm nele.[67] Vejamos agora a alegria resultante dessa salvação.

Embora nossa salvação venha a ser consumada apenas na segunda vinda de Cristo, já começamos a desfrutar de sua alegria aqui e agora. Os sofrimentos desta vida não conseguem empalidecer as glórias benditas da nossa salvação. A cruz precede a coroa; o sofrimento é o prelúdio da glória. Antes de pisarmos as ruas de ouro da Nova Jerusalém, caminharemos por estradas juncadas de espinhos. Pedro menciona vários fatos acerca das provações que enfrentamos nesta vida, preparando-nos para a glória.

Em primeiro lugar, *as provações são pedagógicas. Nisso exultais, embora, no presente, por breve tempo, se necessário, sejais contristados por várias provações* (1.6). A expressão "se necessário" indica que há ocasiões especiais em que Deus sabe que precisamos passar por provações para nossa disciplina (Sl 119.67) e nosso crescimento espiritual (2Co 12.1-9).[68]

Em segundo lugar, *as provações são variadas. ... por várias provações* (1.6). A palavra grega *poikilos*, traduzida por "várias", significa "de diversas cores" ou "policromáticas". A mesma palavra é usada para descrever a graça de Deus (4.10). Warren Wiersbe acertadamente diz que, não importa a "cor" de nosso dia – seja cinzento ou negro –, Deus tem graça suficiente para suprir nossas necessidades.[69] William Barclay, nessa mesma linha de pensamento, escreve:

> Nossos problemas e contratempos podem ser multicoloridos, mas também o é a graça de Deus. Não há cor na situação humana que a graça de Deus não seja capaz de enfrentar. Não importa o que nos esteja fazendo a vida, na graça de Deus encontramos forças para enfrentar essa situação e vencê-la. Há uma graça para enfrentar cada prova, e não há prova que não tenha a sua graça.[70]

Em terceiro lugar, *as provações são dolorosas. ... sejais contristados...* (1.6). A ideia subjacente é de dor ou tristeza profunda. A mesma palavra é usada para descrever a experiência de Jesus no Getsêmani (Mt 26.37) e a tristeza dos santos com a morte de um ente querido (1Ts 4.13).[71]

Em quarto lugar, *as provações são passageiras. ... por breve tempo...* (1.6). Deus não permite que as provações durem para sempre. Warren Wiersbe diz que, quando Deus permite que seus filhos passem pela fornalha, mantém os olhos no relógio e a mão no termostato.[72]

Em quinto lugar, *as provações são proveitosas. Para que, uma vez confirmado o valor da vossa fé, muito mais preciosa do que o ouro perecível, mesmo apurado por fogo, redunde em louvor, glória e honra na revelação de Jesus Cristo* (1.7). Pedro ilustra esta verdade referindo-se ao ourives. O ourives coloca o metal no cadinho o tempo necessário para remover as impurezas sem valor; em seguida, o derrama no molde e forma uma bela peça de valor. Para saber se o ouro é autêntico, o metal precisa ser derretido no fogo. Isso não é afeta o ouro em nada, mas todas as impurezas são expulsas no processo, e aquilo que é autêntico, que realmente tem valor, se destaca com pureza.[73] Alguém disse que, no Oriente, o ourives deixava o metal derreter até ser capaz de ver seu rosto refletido nele. Da mesma forma, o Senhor nos mantém na fornalha do sofrimento até refletirmos a glória e a beleza de Jesus Cristo.

As provações enfrentadas hoje são um preparo para a glória futura. A glória da nossa salvação se tornará plena na segunda vinda de Jesus Cristo. Agora, a nossa fé é testada da mesma forma que o ouro é depurado, para que, na manifestação gloriosa de Cristo em sua segunda vinda, isso redunde em louvor, glória e honra ao Senhor. Concordo com Ênio Mueller no sentido de que esta figura ilustra não só o propósito da provação, mas também a sua necessidade. O ouro, embora valiosíssimo, é também perecível. A fé provada, em comparação com ele, é muito mais preciosa. Depois de ambos passarem pelo processo de purificação, a diferença de valor é enorme. O ouro, além de não durar eternamente, sempre pode ser roubado ou perdido. A fé, por outro lado, garante o acesso a uma herança não sujeita às desgraças terrenas.[74]

Em sexto lugar, *as provações preparam para a glória futura, mas Jesus já concede glória no presente. A quem, não havendo visto, amais; no qual, não vendo agora, mas crendo, exultais com alegria indizível e cheia de glória, obtendo o fim da vossa fé: a salvação da vossa alma* (1.8,9). De acordo com Warren Wiersbe, a vida cristã não consiste somente na contemplação de um futuro distante. Antes, implica uma dinâmica presente que pode transformar o sofrimento em glória hoje.[75] Pedro apresenta quatro instruções para se desfrutar a glória hoje, mesmo em meio às provações:

1. *Amem a Cristo* (1.8). Na fornalha da aflição, em meio ao fogaréu da prova, precisamos amar a Cristo, para que esse fogo nos purifique em vez de nos queimar.

2. *Creiam em Cristo* (1.8). O cristão é salvo pela fé, vive pela fé, vence pela fé e anda de fé em fé.

3. *Alegrem-se em Cristo* (1.8). O cristão não é masoquista nem estoico. Não se alegra por causa do sofrimento nem exulta por causa das provações, mas pelos seus benditos frutos. Essa alegria não pode ser traduzida em palavras, é indizível. Não é apenas terrena, é cheia de glória. Essa é a alegria dos tempos vindouros, que fez sua entrada no mundo para não mais dele sair, até que toda tristeza seja finalmente eliminada na vinda do Reino.[76] Trata-se de uma alegria maiúscula, superlativa e celestial. A palavra descreve gritos de alegria que não podem ser contidos. É uma alegria mergulhada em glória!

4. *Obtenham de Cristo* (1.9). A salvação é uma dádiva de Cristo. Nós a recebemos pela graça, mediante a fé. Embora o seu desfrute pleno vá ocorrer apenas na glória, já tomamos posse aqui e agora. Embora sua consumação esteja destinada apenas para o tempo do fim, já usufruímos seus benefícios imediatamente.

A expressão "salvação da vossa alma" (v. 9) tem sido interpretada de forma equivocada por alguns estudiosos.

Concordo com Uwe Holmer quando ele diz que essa expressão foi emprestada apenas aparentemente da filosofia grega. Na realidade, corresponde à proclamação do Senhor, que proclamara em vista de perseguição e ameaça de morte: *Não temais os que matam o corpo e não podem matar a alma* (Mt 10.28). Isso por um lado soa como antropologia grega, mas por outro condiz na realidade inteiramente com a visão bíblica que é fundamentalmente diversa da grega.[77] Acompanhemos a explicação de Holmer:

> Os gregos consideravam a alma como única coisa valiosa no ser humano: pois a libertação da alma do cativeiro do corpo era o alvo mais importante, de modo que ansiavam por uma existência da alma dissociada do corpo. Também a Bíblia por um lado fala do valor incomparável da alma (Mt 16.26) e tem conhecimento da existência dela sem o corpo (3.19; Mt 10.28; Ap 6.9). Porém, segundo a Bíblia, o corpo não é de forma alguma cárcere da alma, mas forma, em conjunto com a alma e o espírito, o ser humano todo. A existência da alma fora do corpo é, conforme a Bíblia, nem de longe um ideal, mas é considerada como dolorosa condição de imperfeição (2Co 5.4; 1Ts 4.13). A igreja será perfeita somente quando tiver o novo corpo espiritual, a ser obtido na segunda vinda de Jesus. Portanto, não espera que a alma seja liberta do corpo, mas aguarda que seu corpo seja redimido (Rm 8.23). Assim a antropologia bíblica não é marcada pela filosofia grega, mas pela teologia e pela escatologia bíblicas.[78]

A antiguidade da salvação (1.10-12)

O apóstolo Pedro mostra a conexão entre o Antigo e o Novo Testamento. A salvação recebida pela igreja é a mesma anunciada pelos profetas. Trata-se de um plano antigo, feito realidade no presente. Ênio Mueller diz que temos aqui uma passagem eloquente sobre a unidade e a continuidade entre o Antigo Testamento e o Novo Testamento. Aquilo que lá havia sido buscado e anunciado, aqui se cumpre.[79] A salvação presente que a igreja possui já estava no campo de visão dos homens de Deus na antiga aliança.[80] Algumas verdades devem ser aqui observadas.

Em primeiro lugar, *os profetas questionaram acerca desta salvação*. *Foi a respeito desta salvação que os profetas indagaram e inquiriram, os quais profetizaram acerca da graça a vós outros destinada* (1.10). Os profetas de Deus no passado, movidos pelo Espírito Santo, indagaram e inquiriram acerca dessa salvação a nós destinada. Os profetas eram tidos em alta conta no meio do povo de Deus, e os membros da igreja estão agora posicionados num *status* ainda mais elevado: os profetas foram seus servos e ministraram o que era a eles destinado.[81]

Em segundo lugar, *os profetas investigaram o tempo e as circunstâncias da chegada desta salvação*. *Investigando, atentamente, qual a ocasião ou quais as circunstâncias oportunas, indicadas pelo Espírito de Cristo, que neles estava...* (1.11a). Quando o Espírito Santo inspirou os profetas para escreverem sobre o tempo e as circunstâncias do cumprimento desta salvação, não lhes retirou a capacidade de pesquisa nem anulou o estilo de cada um no registro dessas verdades pesquisadas.

Em terceiro lugar, *os profetas deram testemunho da humilhação e exaltação de Cristo*. *... ao dar de antemão testemunho sobre os sofrimentos referentes a Cristo e sobre as glórias que os seguiriam* (1.11b). Note que os profetas usam tanto "sofrimentos" como "glórias" no plural. Isso significa que tanto a humilhação como a exaltação de Cristo passaram por vários estágios. Pedro enfatiza a magnitude e a variedade de dores e tristezas que Jesus suportou, tanto quanto a glória da ressurreição e da ascensão, assim como o esplendor da segunda vinda. Nessa mesma linha de pensamento, Uwe Holmer escreve:

> A glorificação decorre do sofrimento de Jesus, a exaltação, da humilhação. As duas palavras, *sofrimentos* e *glórias*, constam no plural. Isso indica que o padecimento de Cristo é múltiplo, que não se restringiu ao Calvário, mas já começou na estrebaria de Belém e se prolongou por toda a sua vida na terra, para finalmente se consumar na Sexta-Feira Santa. Mas também sua glorificação é múltipla e diversificada. A ressurreição é glória, assim como também a ascensão, a segunda vinda, a inauguração do reino messiânico, a execução do juízo mundial perante o grande trono branco e, finalmente, a consumação na Nova Jerusalém.[82]

Em quarto lugar, *os profetas apontam para uma salvação posterior à sua existência. A eles foi revelado que, não para si mesmos, mas para vós outros, ministravam as coisas que, agora, vos foram anunciadas por aqueles que, pelo Espírito Santo enviado do céu, vos pregaram o evangelho, coisas essas que anjos anelam perscrutar* (1.12). Os profetas receberam a revelação divina de que a salvação por eles anunciada se cumpriria não em seus dias, mas em tempos futuros. A mensagem vaticinada pelos profetas é a mesma recebida pela igreja, lá como promessa, aqui como cumprimento. O evangelho engloba a mensagem profética junto com o seu cumprimento. É a boa nova de que a salvação tão ansiosamente esperada é uma realidade, a partir da morte e da ressurreição de Cristo.[83]

Pedro diz que até mesmo os "anjos anelam perscrutar" a respeito desta salvação. Os anjos estão ao redor do trono de Deus, são mensageiros enviados por ele para servir àquele que herda a salvação (Hb 1.14), regozijam-se quando um pecador se arrepende (Lc 15.7,10) e reúnem os eleitos no dia do julgamento (Mt 24.31). Apesar disso, seu conhecimento sobre a salvação humana é incompleto, pois desejam perscrutar os mistérios da salvação. O verbo *perscrutar* significa "olhar com o pescoço esticado". Os anjos saberão mais sobre a salvação por meio da igreja (Ef 3.10).[84] Se os próprios anjos estão tão interessados em nossa redenção, quanto mais nós deveríamos considerá-la gloriosa, com ainda maior fervor e entusiasmo!

NOTAS DO CAPÍTULO 2

[42] MUELLER, Ênio R. *I Pedro: Introdução e comentário*, p. 63.
[43] KISTEMAKER, Simon. *Epístolas de Pedro e Judas*, p. 46.
[44] MUELLER, Ênio R. *I Pedro: Introdução e comentário*, p. 64.
[45] HOLMER, Uwe. *Primeira Carta de Pedro*, p. 137.
[46] KISTEMAKER. Simon. *Epístolas de Pedro e Judas*, p. 47.
[47] HOLMER, Uwe. *Primeira Carta de Pedro*, p. 138.
[48] KISTEMAKER, Simon. *Epístolas de Pedro e Judas,* 2006, p. 47.
[49] BARCLAY, William. *Santiago, I y II Pedro*, p. 193.
[50] MUELLER, Ênio G. *I Pedro: Introdução e comentário*, p. 67,68.
[51] 2Timóteo 1.9.
[52] Efésios 1.4.
[53] 2Tessalonicenses 2.13.
[54] Efésios 1.4.

55 Efésios 2.10.
56 MUELLER, Ênio G. *I Pedro: Introdução e comentário*, p. 69.
57 MUELLER, Ênio G. *I Pedro: Introdução e comentário*, p. 71.
58 MUELLER, Ênio R. *I Pedro: Introdução e comentário*, p. 79.
59 BARCLAY, William. *Santiago, I y II Pedro*, p. 198.
60 KISTEMAKER, Simon. *Epístolas de Pedro e Judas*, p. 58.
61 NICHOLSON, Roy S. *A Primeira Epístola de Pedro*, p. 214.
62 BARCLAY, William. *Santiago, I y II Pedro*, p. 200.
63 NICHOLSON, Roy S. *A Primeira Epístola de Pedro*, p. 214.
64 BARCLAY, William. *Santiago, I y II Pedro*, p. 201.
65 KISTEMAKER, Simon. *Epístolas de Pedro e Judas*, p. 63.
66 MUELLER, Ênio R. *I Pedro: Introdução e comentário*, p. 82.
67 MUELLER, Ênio R. *I Pedro: Introdução e comentário*, p. 82.
68 WIERSBE, Warren W. *Comentário bíblico expositivo*, p. 506.
69 WIERSBE, Warren W. *Comentário bíblico expositivo*, p. 506.
70 BARCLAY, William. *Santiago, I y II Pedro*, p. 204.
71 WIERSBE, Warren W. *Comentário bíblico expositivo*, p. 506.
72 WIERSBE, Warren W. *Comentário bíblico expositivo*, p. 507.
73 HOLMER, Uwe. *Primeira Carta de Pedro*, p. 149.
74 MUELLER, Ênio R. *I Pedro: Introdução e comentário*, p. 88.
75 WIERSBE, Warren W. *Comentário bíblico expositivo*, p. 507.
76 MUELLER, Ênio R. *I Pedro: Introdução e comentário*, p. 90.
77 HOLMER, Uwe. *Primeira Carta de Pedro*, p. 151.
78 HOLMER, Uwe. *Primeira Carta de Pedro*, p. 151.
79 MUELLER, Ênio R. *I Pedro: Introdução e comentário*, p. 92.
80 HOLMER, Uwe. *Primeira Carta de Pedro*, p. 152.
81 MUELLER, Ênio R. *I Pedro: Introdução e comentário*, p. 93.
82 HOLMER, Uwe. *Primeira Carta de Pedro*, p. 153.
83 MUELLER, Ênio R. *I Pedro: Introdução e comentário*, p. 95.
84 KISTEMAKER, Simon. *Epístolas de Pedro e Judas*, p. 80.

Capítulo 3

O estilo de vida dos salvos
(1Pe 1.13-25)

Deus nos salvou para a santidade. Salvou-nos *do* pecado, e não *no* pecado. Salvou-nos das paixões e da futilidade da vida, e não para vivermos outra vez nessas práticas. Aqueles que têm um encontro com Deus receberam uma nova vida e devem viver em novidade de vida. O apóstolo Pedro relaciona salvação e santidade. Após o louvor a Deus pelas bênçãos da salvação, Pedro volta sua atenção para as implicações da salvação. Em virtude do que Deus fez por nós, devemos viver de modo digno da nossa vocação. Concordo com Holmer quando ele diz: "Somente é possível desafiar pessoas para uma conduta consagrada se elas já renasceram antes".[85]

O texto em estudo nos apresenta três aspectos desse estilo de vida dos salvos: viver em santidade, viver com reverência e viver em amor.

Os salvos devem viver em santidade (1.13-16)

O apóstolo Pedro conecta a salvação com a santidade no versículo 13, quando inicia o parágrafo: *Por isso...* Em virtude do que Deus fez por nós, devemos viver de modo digno dessa salvação. A dádiva graciosa da salvação em Cristo deve levar-nos a uma conduta ajustada e compatível. A doutrina desemboca na ética. A teologia produz vida.

No propósito de perseguirmos a santidade, três verdades devem ser observadas.

Em primeiro lugar, *a preparação para a santidade* (1.13). A santificação é um processo que começa na conversão e termina na glorificação. Nessa jornada, três atitudes precisam ser tomadas:

1. *Prepare sua mente. Por isso, cingindo o vosso entendimento...* (1.13a). Holmer diz que essa expressão é quase incompreensível para a percepção moderna da língua. Corresponde ao pensamento oriental-metafórico. Na antiguidade, era necessário amarrar as vestes esvoaçantes. Do contrário, elas atrapalhariam o trabalho e estorvariam a batalha. Por isso, o ser humano antigo cingia as ancas, enfiando as pontas das vestes sob o cinto. Também nós somos facilmente prejudicados no trabalho e na vida por "ideias esvoaçantes".[86] O que Pedro está dizendo é: *Não permita que qualquer coisa atrapalhe seu entendimento.*[87]

Ênio Mueller diz que a palavra grega *dianoias*, "entendimento", é um pouco diferente de *nous,* normalmente usada para expressar o que entendemos hoje por "mente". A primeira denota mais a mentalidade, aquilo que a mente produz. "Cingir o entendimento" significa, então, "pensar em algo e tirar as conclusões apropriadas". Em outras palavras, "tendo em mente o que foi dito, tirem as implicações para a vida".[88] Quem busca a santificação não pode dispersar-se com muitas preocupações e devaneios. Sua mente precisa ser firme na Palavra de Deus, para compreender os preceitos divinos. Concordo com William Barclay no sentido de que não podemos contentar-nos com uma fé medíocre e negligente, sem profundidade e sem reflexão.[89]

2. *Mantenha-se sóbrio. ... sede sóbrios...* (1.13b). Essa exortação foi repetida três vezes nesta epístola (1.13; 4.7; 5.8). A palavra grega *nefontes* significa domínio próprio, especialmente com relação à bebida alcoólica. É uma exortação dirigida contra qualquer embriaguez por álcool ou de modo geral contra qualquer tipo de êxtase dos sentidos.[90] Ser sóbrio é estar no pleno domínio de sua capacidade racional. Aqueles que se entregam à embriaguez não têm a mente disposta para Deus. Também significa ser calmo, estável, controlado; ponderar as coisas.[91] Simon Kistemaker realça que a mente deve estar livre de precipitação ou confusão; deve rejeitar a tentação de ser influenciada por bebidas e drogas intoxicantes. Deve permanecer alerta.[92]

3. *Espere na graça. ... e esperai inteiramente na graça que vos está sendo trazida na revelação de Jesus Cristo* (1.13c). Diante das perseguições e dos sofrimentos pelos quais os cristãos estavam passando, Pedro os encoraja a olharem para frente, para a recompensa futura, para a segunda vinda de Cristo, para a glória que os aguardava, a plenitude sua salvação. A palavra grega *elpisate* é uma forma verbal de *elpis,* "esperança". O objeto da esperança é a graça que nos está sendo trazida.[93] O salvo olha para o passado e contempla a cruz, onde seus pecados foram cancelados.

Olha para o futuro e contempla a graça que está sendo preparada para a segunda vinda de Cristo. Na cruz fomos justificados; na segunda vinda seremos glorificados. Entre a cruz e a coroa, entre o sofrimento do Calvário e a glória da *parousia*, devemos esticar o pescoço e ficar na ponta dos pés esperando inteiramente na graça que nos está sendo trazida na segunda vinda de Cristo.

Warren Wiersbe diz que o cristão vive no tempo futuro; suas ações e decisões no presente são governadas por essa esperança futura.[94] Quando as circunstâncias ao nosso redor estiverem sombrias e tenebrosas, devemos olhar para o alto, pois as estrelas só aparecem quando está escuro. É precisamente porque o cristão vive na esperança que consegue suportar as provas e os sofrimentos desta vida, pois sabe que caminha para a glória.

Nos três versículos seguintes, Pedro adverte os cristãos a evitarem a conformidade com o mundo, insta-os a lutarem pela santidade e confirma suas palavras com uma citação do Antigo Testamento. Temos aqui, portanto, uma advertência, uma exortação e uma confirmação.[95]

Em segundo lugar, *o perigo à santidade. Como filhos da obediência, não vos amoldeis às paixões que tínheis anteriormente na vossa ignorância* (1.14). Aqui temos uma advertência. "Filhos da obediência" é um linguajar semita. Significa algo como "pessoas que são cunhadas integralmente pela obediência".[96] Fomos salvos para a obediência, por isso os salvos são filhos obedientes. Como os filhos herdam a natureza dos pais, precisamos viver em santidade, pois nosso Pai é santo.

Como filhos obedientes, não podemos retroceder nem cair nas mesmas práticas indecentes que marcavam nossa conduta quando vivíamos prisioneiros do pecado. Naquele tempo, os desejos e as paixões constituíam o esquema determinante da nossa vida e a nossa norma de conduta. É incoerente, incompatível e inconcebível um salvo amoldar-se-às paixões de sua velha vida. O salvo é nova criatura. Tem uma nova mente, um novo coração, uma nova vida.

A vida no pecado é marcada pela ignorância. Mesmo aqueles que vivem untados pelo refinado conhecimento filosófico ainda estão imersos num caudal de ignorância (At 17.30).

Ênio Mueller diz que a expressão grega *Me syschematizomenoi*, "não vos amoldeis" significa uma exortação a não entrar no esquema. Originalmente, a palavra significava assumir a forma de alguma coisa, a partir de um molde de encaixe (Rm 12.2). Os cristãos são chamados a "mudar de esquema", a assumir o esquema de Deus. A nova vida em Cristo, transformando a pessoa por dentro, deve traduzir-se em novas expressões concretas de vida.[97]

Em terceiro lugar, *o imperativo da santidade. Pelo contrário, segundo é santo aquele que vos chamou, tornai-vos santos também vós mesmos em todo o vosso procedimento, porque escrito está: Sede santos, porque eu sou santo* (1.15,16). Aqui temos uma exortação e uma confirmação. Três verdades são aqui destacadas:

1. *A santidade é imperativa porque o Deus que nos chama é santo*. O termo grego *hagios* referente a Deus traz a ideia de "separado". Fala sobre a singularidade divina em relação a todo o resto, a sua distinção como Aquele que é totalmente outro. Também expressa sua perfeição moral.[98] Deus nos chama para sermos seus filhos e refletirmos seu caráter. Não fomos destinados apenas para a glória, mas para sermos semelhantes ao Rei da glória. Fomos chamados para sermos coparticipantes da natureza divina.

2. *A santidade é imperativa porque precisa abranger todas as áreas da nossa vida.* Nenhum aspecto da nossa vida está excluído desse imperativo divino. Todo o nosso procedimento deve resplandecer o caráter de Deus, a santidade daquele que nos chamou do pecado para a salvação. Tornar-se santo inclui ambas as noções sobre santidade: o elemento de separação, em distinção ao profano, e o elemento ético ou moral.[99]

3. *A santidade é imperativa porque é uma clara exigência das Escrituras.* Pedro citou Levítico 11.44 para sustentar seu argumento: "Sereis santos, porque eu sou santo". Mueller diz que o apelo à palavra de Deus serve para ratificar com autoridade o que foi dito.[100] Pedro não baseia sua exortação em seus próprios pensamentos, mas na palavra de Deus. Concordo com Warren Wiersbe quando diz que a Palavra revela a mente de Deus, de modo que devemos aprendê-la; revela o coração de Deus, de modo que devemos amá-la; e revela a vontade de Deus, de modo que devemos obedecê-la. O ser como um todo – a mente, o coração e a volição – precisa ser controlado pela Palavra de Deus.[101]

Os salvos devem viver com reverência (1.17-21)

O apóstolo Pedro passa da santidade dos salvos para a reverência que eles devem prestar a Deus, a segunda marca dos que receberam a salvação. Deus é Pai, mas também Juiz. Somos filhos da obediência, porém isso não nos dá imunidade para vivermos desatentamente. Deus não é condescendente nem mesmo com os pecados de seus filhos. Holmer diz corretamente que Deus tem filhos, mas não favoritos.[102]

Vamos comparecer perante o tribunal de Deus para prestarmos conta da nossa vida. Seremos julgados segundo as nossas obras. Intimidade não anula responsabilidade. O mesmo Deus que firmou conosco relação tão íntima é também o Juiz, o Deus julgador da história.

A reverência a Deus deve ser observada por três razões.

Em primeiro lugar, *o julgamento de Deus*. *Ora, se invocais como Pai aquele que, sem acepção de pessoas, julga segundo as obras de cada um, portai-vos com temor durante o tempo da vossa peregrinação* (1.17). Notemos algumas verdades importantes aqui:

1. *O Juiz*. O Deus que julga é o mesmo a quem invocamos como Pai. Não há incompatibilidade entre a paternidade divina e a justiça divina. O fato de chamarmos Deus de Pai não nos dá direito de nos amoldarmos às paixões mundanas. O Pai e o Juiz são a mesma pessoa. Deus *não faz acepção de pessoas, nem aceita suborno* (Dt 10.17). *Porque para com Deus não há acepção de pessoas* (Rm 2.11). Como declara Wiersbe, "anos de obediência não compram uma hora de desobediência".[103]

2. *O caráter do Juiz*. Deus não faz acepção de pessoas. Seu julgamento é imparcial. Ele julga homens e mulheres, grandes e pequenos, doutores e analfabetos, com o mesmo critério de justiça. Deus não mostra favor por ninguém, seja rico ou pobre (Tg 2.1-9), judeu ou gentio (Rm 2.11), escravo ou senhor (Ef 6.9).

3. *O critério do julgamento*. Deus julga a cada um segundo as suas obras. Não há imunidade. Não há preferência. Deus não inocenta o culpado.

4. *As implicações do julgamento*. Tendo em vista que seremos julgados, precisamos portar-nos com temor durante nossa peregrinação no mundo. "Temor" aqui é aquela reverência e respeito devidos a Deus, e não uma sensação doentia de medo do castigo (1Jo 4.18). Mueller diz

acertadamente: "Temor é a necessária antítese dialética à esperança cristã".[104] O termo grego *paroikia,* "peregrinação", revela que "estamos fora de casa". Somos apenas residentes estrangeiros, destituídos de muitos privilégios de um cidadão com plenos direitos. Aqui não temos cidadania permanente. Somos peregrinos. Estamos a caminho da nossa pátria. Precisamos ter cuidado para não plantarmos raízes neste mundo.

Em segundo lugar, *a redenção de Cristo* (1.18-20). O apóstolo Pedro escreve:

> *Sabendo que não foi mediante coisas corruptíveis, como prata ou ouro, que fostes resgatados do vosso fútil procedimento que vossos pais vos legaram, mas pelo precioso sangue, como de cordeiro sem defeito e sem mácula, o sangue de Cristo, conhecido, com efeito, antes da fundação do mundo, porém manifestado no fim dos tempos, por amor de vós* (1Pe 1.18-20).

O sangue de Jesus é o tema central da Bíblia. De Gênesis a Apocalipse, esse fio escarlata, o sangue de Jesus, é o tema principal. No Antigo Testamento, o sangue de Jesus é prefigurado no derramamento do sangue dos animais sacrificados nos holocaustos. No Novo Testamento, o sangue de Jesus é derramado para a nossa redenção. Você não é reconciliado com Deus por suas obras, méritos ou religiosidade, mas por meio do sangue de Jesus.

Edwin Blum diz que a palavra grega para "redenção" nos remete à instituição da escravatura no antigo império romano. Todas as igrejas cristãs do primeiro século tinham três tipos de membros: escravos, homens livres e homens libertados. Pessoas tornavam-se escravas de várias formas: por causa da guerra, de falência financeira, vendiam-se a si mesmas, eram vendidas por seus pais ou já nasciam escravas. Um escravo podia obter libertação após um tempo de serviço ou principalmente mediante o pagamento de um preço de resgate. Esse preço deveria ser pago por outra pessoa. Portanto, uma pessoa libertada era alguém que já tinha sido escrava, mas agora estava livre.[105]

Algumas verdades devem ser aqui destacadas:

1. *O preço do resgate* (1.18a). Pedro fala sobre do preço da redenção primeiro de forma negativa e depois de forma positiva. Negativamente, não fomos resgatados mediante coisas corruptíveis como prata e ouro, os mais importantes meios de pagamento na época. Embora esses metais sejam nobres e duráveis, desgastam-se com o tempo e corrompem-se. Podem ser úteis no comércio, mas são inúteis para o resgate espiritual. São insignificantes para nos libertarem da antiga vida e possibilitar a nova. Nem todo o ouro da terra seria suficiente para nos resgatar do pecado e da morte. Estávamos na casa do valente, no império das trevas, na potestade de Satanás. Fomos arrancados da prisão do pecado, da escravidão do diabo e do terror da morte.

O sangue de Jesus é o fundamento da minha e da sua salvação. A sua salvação depende do sangue de Jesus. Se você não estiver debaixo do sangue de Jesus, não há esperança. Sem derramamento de sangue, não há remissão de pecado. Suas obras não são suficientes para levar você ao céu. Sua igreja não pode levar você ao céu. Fora do sangue do Cordeiro de Deus, ninguém pode entrar no céu. O grande avivalista João Wesley sonhou que foi ao inferno e perguntou: Há metodistas aqui? Sim, muitos! Há presbiterianos? Sim, muitos! Há católicos? Sim, muitos! Sonhou também que foi ao céu. E perguntou: Há metodistas aqui? Não! Há presbiterianos? Não! Há católicos? Não! Aqui só há aqueles que foram lavados no sangue do Cordeiro!

2. *A condição dos resgatados* (1.18b). Fomos resgatados do fútil procedimento que nossos pais nos legaram. Éramos não apenas escravos, mas levávamos uma vida vazia, improdutiva e sem propósito, num estilo de vida que passava de geração a geração. Esse fútil procedimento inclui a vaidade e ilusão sem sentido, aquilo que constrói um mundo de aparências, em oposição à realidade, por isso significa o falso, sem sentido e despropositado que se perpetua de geração em geração.[106] A pessoa sem Cristo, mesmo cumulada de bens, é vazia. Não tem uma razão pela qual viver e morrer. Refletindo sobre essa condição humana antes da redenção, Mueller escreve:

> O homem, afastando-se de Deus, chegou a se tornar escravizado pelo pecado e pelas forças do mal, não tendo capacidade em si próprio para resistir a essa dominação interna e externa. Isso é o que, basicamente, desencadeia todo o processo de injustiça, de dominação e opressão que caracteriza a sociedade.[107]

3. *O sacrifício do resgatador* (1.19). Pedro não apenas lembra a seus leitores quem eles eram como também lhes traz à memória o que Cristo fez. Jesus derramou seu sangue precioso para nos comprar da escravidão da lei, do pecado, do diabo e da morte e para nos libertar para sempre. "Resgatar" significa "libertar mediante o pagamento de um preço". Um escravo no império romano podia ser resgatado pelo pagamento de uma quantia em dinheiro, mas nós só podemos ser resgatados do pecado mediante o sangue de Cristo. Pedro evoca a libertação de Israel do cativeiro no Egito. Naquela fatídica noite, um cordeiro pascal foi morto no lugar da cada família, seu sangue foi aspergido nos batentes das portas e sua carne foi comida com ervas amargas. William Barclay observa que a figura do cordeiro

pascal contém dois pensamentos gêmeos: ser emancipados da escravidão e ser libertados da morte.[108] O profeta Isaías, no capítulo 53 de seu livro, descreve esse Cordeiro mudo que foi imolado pelos nossos pecados, e João Batista aponta para Jesus como o Cordeiro de Deus que tira o pecado do mundo. Isaque perguntou: *Onde está o cordeiro?* (Gn 22.7) e João Batista respondeu, apontando para Jesus: *Eis o Cordeiro de Deus, que tira o pecado do mundo!* (Jo 1.29).

Holmer acertadamente registra: "No crucificado contemplamos o Cordeiro de Deus, no qual não apenas se realizou a profecia messiânica de Isaías 53, mas também se cumpriu o significado profético do cordeiro pascal, bem como de todos os sacrifícios que foram oferecidos no templo de Jerusalém".[109] Jesus é o ofertante e a oferta, o sacerdote e o sacrifício. É o precioso sangue de Cristo que tem poder para libertar e transformar pessoas de tal maneira que toda a sua vida seja renovada.

O Cordeiro de Deus não podia ter nem uma mancha sequer, nenhum pecado, ao pretender colocar-se no lugar das pessoas, sacrificar-se por elas e redimi-las. Unicamente Jesus atende a essa condição. Somente ele podia redimir a humanidade, o único puro e sem pecados. Ele entregou por nós seu precioso sangue. Fez tudo para nos resgatar para a nova vida.[110]

Simon Kistemaker conclui esse pensamento:
> Os autores do Novo Testamento ensinam que Cristo é aquele cordeiro pascal. João Batista aponta para Jesus e diz: *Eis o Cordeiro de Deus, que tira o pecado do mundo!* (Jo 1.29). Paulo comenta que nossa redenção foi efetuada por meio de Jesus Cristo, *a quem Deus propôs, no seu sangue, como propiciação mediante a fé* (Rm 3.25). O autor aos Hebreus declara que Cristo não entrou nos

Santo dos Santos por sangue de bodes e de bezerros, mas *pelo seu próprio sangue, entrou no Santo dos Santos uma vez por todas* (Hb 9.12). E, em Apocalipse, João registrou a nova canção que os santos no céu entoavam a Cristo: *Digno és de tomar o livro e de abrir-lhe os selos, porque foste morto e com o teu sangue compraste para Deus os que procedem de toda tribo, língua, povo e nação* (Ap 5.9).[111]

4. *O plano eterno da redenção* (1.20a). Jesus Cristo é o eterno propósito de Deus. Antes da fundação do mundo, ele já foi predestinado para a obra da redenção. Pedro deixa claro que a morte de Cristo não foi um acidente, mas o cumprimento de um plano, pois Deus a determinou antes da fundação do mundo. Às vezes tendemos a pensar em Deus primeiro como Criador e depois como Redentor. Pensamos que Deus criou o mundo e depois, quando as coisas se complicaram com a queda, buscou alguma maneira de resgatar o mundo mediante Jesus Cristo. Mas aqui temos a majestosa visão de Deus como Redentor antes de ser Criador.[112] O plano da redenção precedeu à criação do universo. Nosso resgate não foi uma decisão de última hora. Deus planejou nossa salvação nos refolhos da eternidade. O Cordeiro de Deus foi morto desde a fundação do mundo (Ap 13.8).

5. *A manifestação do resgatador* (1.20b). O Filho de Deus manifestou-se no fim dos tempos. Ele inaugurou esse tempo do fim em sua encarnação e consumará esse tempo em sua segunda vinda.

6. *O motivo da redenção* (1.20c). Cristo veio ao mundo como Cordeiro substituto por amor de nós. Deus nos amou e não poupou o próprio Filho, antes por todos nós o entregou. Deus prova o seu próprio amor para conosco pelo fato de ter Cristo morrido por nós, sendo nós ainda

pecadores. Deus nos amou não por causa dos nossos méritos, mas apesar dos nossos deméritos. Éramos fracos, ímpios, pecadores e inimigos.

Em terceiro lugar, *a fé em Deus. Que, por meio dele, tendes fé em Deus, o qual o ressuscitou dentre os mortos e lhe deu glória, de sorte que a vossa fé e esperança estejam em Deus* (1.21). Deus não é uma entidade, um ser abstrato e indefinido, mas aquele que atua com poder na história, aquele que ressuscitou a Cristo dentre os mortos (1.3) e lhe deu glória (1.11).[113] Temos, por isso, motivos sobejos para depositarmos nossa confiança em Deus. A fé em Deus vem por meio de Cristo. Deus o ressuscitou e lhe deu glória, confirmando e aprovando sua obra redentora. A obra vitoriosa de Cristo nos dá confiança para colocarmos nossa fé em Deus com total e segura confiança. William Barclay afirmar que, por sua morte, Jesus nos emancipou do pecado e da morte; porém, por ressurreição, nos deu uma vida que é tão gloriosa e indestrutível como a sua própria vida. Por sua triunfante ressurreição, temos fé e esperança em Deus (1.21).[114]

Os salvos devem viver em amor (1.22-25)

A terceira marca do salvos é o amor. Pedro nos dá duas razões eloquentes para a prática do amor. Por que devemos amar nossos irmãos ardentemente com amor fraternal?

Em primeiro lugar, *porque fomos purificados. Tendo purificado a vossa alma, pela vossa obediência à verdade, tendo em vista o amor fraternal não fingido, amai-vos de coração, uns aos outros ardentemente* (1.22). Os salvos foram não apenas redimidos da escravidão, mas também purificados pela obediência à verdade. A verdade nos banha, nos limpa e nos purifica. O propósito real da nova vida em Cristo é o amor fraternal. A palavra grega *filadelphia* representa o amor entre irmãos; os outros membros da igreja são assim incluídos "dentro da família", tornando-se irmãos no sentido próprio do termo.[115] O amor é a marca distintiva do cristão, o apanágio do crente, a prova insofismável do discipulado, a apologética final (Jo 13.34,35).

Em segundo lugar, *porque fomos regenerados. Pois fostes regenerados não de semente corruptível, mas de incorruptível, mediante a palavra de Deus, a qual vive e é permanente* (1.23). Se temos uma nova vida, temos uma nova natureza. Se somos coparticipantes da natureza divina e Deus é amor, então expressamos essa filiação quando imitamos nosso Pai. O amor é a marca do cristão, pois é a evidência mais eloquente da nossa salvação. Fomos gerados pela palavra. Antes de uma semente brotar, ela morre, mas a palavra de Deus não tem em si a inclinação da morte. Ela é viva e vive. É permanente e conserva-se para sempre.

Em terceiro lugar, *porque nossa vida é passageira. Pois toda carne é como a erva, e toda a sua glória, como a flor da erva; seca-se a erva, e cai a sua flor* (1.24). Toda a raça humana está carimbada pela transitoriedade da vida. A humanidade está destinada à morte. Nossa vida aqui é passageira. Nossas glórias aqui são desvanecentes. O melhor da nossa beleza ou do nosso poder é tão vulnerável quanto a flor e tão perecível quanto a relva. O homem besuntado de orgulho imagina-se grande e poderoso, por sua força, beleza, cultura e ciência. No entanto, apesar de tudo isso, não passa de carne. Sua beleza é efêmera como a flor, e seu poder, fugaz como a relva que se seca.

Em quarto lugar, *porque a palavra de Deus é permanente. A palavra do Senhor, porém, permanece eternamente* (1.25a). A profecia de Isaías citada por Pedro gira em torno da natureza perecível de toda a carne, em contraste com a natureza imperecível da Palavra de Deus. *Ora, esta é a palavra que vos foi evangelizada* (1.25b). É a palavra que não pode falhar, a palavra eterna, que nos orienta amar os irmãos ardentemente, de todo o coração. Essa palavra é sempre viva, atual e oportuna. Cabe-nos obedecer a ela sem detença e sem tardança.

NOTAS DO CAPÍTULO 3

[85] HOLMER, Uwe. *Primeira Carta de Pedro*, p. 156.
[86] HOLMER, Uwe. *Primeira Carta de Pedro*, p. 157.
[87] KISTEMAKER, Simon. *Epístolas de Pedro e Judas*, p. 81.
[88] MUELLER, Ênio R. *I Pedro: Introdução e comentário*, p. 98.
[89] BARCLAY, William. *Santiago, I y II Pedro*, p. 210.
[90] HOLMER, Uwe. *Primeira Carta de Pedro*, p. 158.
[91] WIERSBE, Warren W. *Comentário bíblico expositivo*, p. 510.
[92] KISTEMAKER, Simon. *Epístolas de Pedro e Judas*, p. 82.
[93] MUELLER, Ênio R. *I Pedro: Introdução e comentário*, p. 98,99.
[94] WIERSBE, Warren W. *Comentário bíblico expositivo*, p. 510.
[95] KISTEMAKER, Simon. *Epístolas de Pedro e Judas*, p. 83.
[96] HOLMER, Uwe. *Primeira Carta de Pedro*, p. 159.
[97] MUELLER, Ênio R. *I Pedro: Introdução e comentário*, p. 101.
[98] MUELLER, Ênio R. *I Pedro: Introdução e comentário*, p. 102.

[99] MUELLER, Ênio R. *I Pedro: Introdução e comentário*, p. 102,103.
[100] MUELLER, Ênio R. *I Pedro: Introdução e comentário*, p. 103.
[101] WIERSBE, Warren W. *Comentário bíblico expositivo*, p. 512.
[102] HOLMER, Uwe. *Primeira Carta de Pedro*, p. 161.
[103] WIERSBE, Warren W. *Comentário bíblico expositivo*, p. 513.
[104] MUELLER, Ênio R. *I Pedro: Introdução e comentário*, p. 106.
[105] BLUM, Edwin A. *1 Peter. In: Zondervan NIV Bible Commentary.* Vol. 2. Grand Rapids, MI: Zondervan Publishing House, 1994, p. 1045.
[106] MUELLER, Ênio R. *I Pedro: Introdução e comentário*, p. 108.
[107] MUELLER, Ênio R. *I Pedro: Introdução e comentário*, p. 107.
[108] BARCLAY, William. *Santiago, I y II Pedro*, p. 212.
[109] HOLMER, Uwe. *Primeira Carta de Pedro*, p. 164.
[110] HOLMER, Uwe. *Primeira Carta de Pedro*, p. 165.
[111] KISTEMAKER, Simon. *Epístolas de Pedro e Judas,* p. 92.
[112] BARCLAY, William. *Santiago, I y II Pedro*, p. 212.
[113] MUELLER, Ênio R. *I Pedro: Introdução e comentário*, p. 112.
[114] BARCLAY, William. *Santiago, I y II Pedro*, p. 213.
[115] MUELLER, Ênio R. *I Pedro: Introdução e comentário*, p. 115.

Capítulo 4

O crescimento espiritual dos salvos
(1Pe 2.1-10)

O APÓSTOLO PEDRO, APÓS falar sobre o estilo de vida dos salvos, passa a tratar do crescimento espiritual dos que se converteram a Cristo. Por meio da conjunção *portanto,* o trecho se conecta ao anterior. Apoia-se nele, mas representa nitidamente um novo bloco com outro direcionamento.[116] A salvação será consumada na segunda vinda de Cristo. Nós, que já entramos no reino da graça, aguardarmos com vívida esperança o triunfo do nosso Salvador, quando ele colocará todos os inimigos debaixo dos seus pés e nos levará para seu reino de glória.

Pedro elenca no texto os passos necessários para o crescimento espiritual. Vamos examiná-lo a seguir.

O despojamento do pecado é necessário (2.1)

O crescimento espiritual vem por meio da ruptura com práticas de pecado que marcaram nossa vida antes de nosso encontro com Cristo. Vivíamos uma vida vazia e fútil. Éramos escravos de nossas paixões. Andávamos num caminho de escuridão. Agora somos novas criaturas em Cristo e fomos gerados pela Palavra; não podemos mais continuar andando na prática dos mesmos pecados. Precisamos arrancar da nossa vida esses pecados como se fossem trapos imundos. Todos os cinco pecados alistados apresentam uma relação horizontal, ou seja, têm que ver com nossos relacionamentos interpessoais. Que pecados são esses dos quais precisamos despojar-nos?

Em primeiro lugar, *a maldade e o dolo. Despojando-vos, portanto, de toda maldade e dolo...* (2.1). A palavra "toda" é abrangente e não permite exceções. A palavra grega *apothemenoi,* traduzida por "despojando-vos", significa "deixando de lado", referindo-se ao gesto de tirar uma roupa.[117] O que deve ser deixado de lado é apresentado na forma de um pequeno "catálogo de vícios".[118] A maldade e o dolo não são compatíveis com a vida que temos em Cristo. Esses pecados são como roupas contaminadas e sujas que precisamos remover de nossa vida. A palavra grega *kakia,* traduzida por "maldade", é um termo bem amplo e parece abranger "toda a iniquidade do mundo pagão".[119] Os outros pecados mencionados nesse catálogo de vícios são ilustrações e manifestações dessa maldade. Kistemaker diz que "maldade" é o desejo de causar dor, mal ou sofrimento ao nosso próximo.[120] Já a palavra grega *dolos,* traduzida por "dolo", representa aquele espírito traiçoeiro que não hesita em usar meios questionáveis para sobressair-se ou obter vantagens.[121] O dolo assume a aparência de verdade para que o desavisado seja enganado.[122] William Barclay aponta que *dolos* é mostrar duas caras. É o vício do homem cujos motivos são sempre adulterados, nunca puros.[123] Poderíamos afirmar que maldade é a atitude intencional de fazer o mal contra o próximo, e dolo é a intenção de fazer o mal, ocultando isso nas palavras e nos gestos.

Em segundo lugar, *hipocrisias e invejas. ... de hipocrisias e invejas...* (2.1). A palavra grega *hypokrisis* está ligada a *hypokrites,* que descrevia o ator, alguém que o tempo todo está representando uma comédia, que sempre está ocultando seus verdadeiros motivos, que expressa sentimentos distintos dos que têm em seu interior, que se exprime com palavras que não correspondem a seus verdadeiros sentimentos.[124]

Hipocrisia é fingimento, ou seja, é colocar uma máscara e vestir um capuz para ocultar a verdadeira identidade. É fazer da vida um palco para representar um papel, buscando aplausos. O hipócrita finge ser aquilo que não é. Holmer destaca que existem muitas tentações para a hipocrisia. Há o risco de realizar, por exemplo, o jejum, a oração e as oferendas não por amor a Deus, mas por amor ao ser humano; não de coração, mas para usufruir uma imagem favorável perante as pessoas. A hipocrisia, ainda, pode ser identificada quando um ser humano alimenta secretamente de um pensamento pecaminoso, mas por fora preserva a aparência devota. É por isso que Jesus alertou tão severamente contra a hipocrisia (Lc 12.1).[125]

A palavra grega *fthonos,* traduzida por "invejas", descreve o sentimento mesquinho de querer ocupar o lugar do outro. Até no grupo dos apóstolos a inveja subiu a cabeça. Quando Tiago e João levaram seu pedido a Jesus para ocuparem lugar de proeminência no seu reino, os demais ficaram tomados de inveja (Mc 10.41). Até mesmo na última ceia, os discípulos disputaram lugares de honra (Lc 22.24). Enquanto o ego permanecer ativo dentro do coração humano, haverá inveja.[126] Inveja corresponde ao desejo de ser quem o outro é, de ter o que outro tem. A inveja se expressa no desejo de possuir algo que pertence a outro. Uma pessoa invejosa é dominada por uma incurável ingratidão.

Em terceiro lugar, *maledicências. ... e de toda sorte de maledicências* (2.1). A palavra grega *katalalia,* traduzida por "maledicência", significa falar mal, quase sempre como fruto da inveja instalada no coração e normalmente quando a vítima não está presente para se defender.[127] Maledicência traz a ideia de um falatório maldoso a respeito da vida alheia. É fazer da língua uma espada afiada para ferir, um fogo mortífero para destruir e um veneno letal para matar. Maledicência não é apenas sentir e desejar o mal contra o próximo, mas afligi-lo e atormentá-lo com o azorrague da língua.

Pedro não instrui os seus leitores a lutarem contra esses males, mas a se livrarem deles. Precisamos livrar-nos deles como nos livramos de uma roupa suja e contaminada.

A dieta espiritual é importante (2.2,3)

Pedro passa daquilo que devemos despojar para o que devemos desejar. O crescimento espiritual decorre do que evitamos e também advém por meio daquilo com que nos alimentamos. Ênio Mueller diz que a ação deve seguir em duas direções: despojar-se do antigo e alimentar-se do novo.[128] O alimento é vital para o crescimento saudável. Tanto a inapetência quanto o alimento tóxico impedem o crescimento. A falta de apetite ou a ingestão de alimento contaminado provocam doenças, e a alimentação insuficiente e inadequada desemboca em raquitismo.

Pedro compara o cristão a um recém-nascido. Assim como um bebê anseia pelo leite materno, o cristão deve desejar ardentemente o genuíno leite espiritual. A palavra grega *epippothein* significa um desejo intenso, como o da corça que anseia pelas correntes das águas. Para o cristão, estudar a Palavra de Deus não é um trabalho, mas uma delícia, porque ele sabe que ali encontrará o alimento pelo qual sua alma anseia.[129] Um bebê que saboreou o alimento não deseja parar mais até ficar saciado. O fato de ter degustado reforça seu desejo. A Palavra de Deus é leite, carne, mel e pão. É nosso alimento e por meio dela alcançamos crescimento saudável. Vamos destacar aqui três pontos.

Em primeiro lugar, *o alimento. Desejai ardentemente, como crianças recém-nascidas, o genuíno leite espiritual...* (2.2a). Os bebês recém-nascidos agem como se sua vida dependesse da próxima refeição. Assim também os cristãos devem mostrar sua ânsia pela Palavra de Deus.[130] Devemos ter fome da Palavra e desejá-la ardentemente. Assim como os bebês se alimentam com regularidade, nós também devemos beber regularmente o leite da verdade.

A expressão grega *gala logikos,* traduzida por "leite espiritual", tem um rico significado. *Logikos* é o adjetivo correspondente ao substantivo *logos*. Segundo William Barclay, há três significados possíveis para *logos:* 1. É a grande palavra estoica que significa a razão que guia o universo. 2. Quer dizer mente ou razão. 3. Equivale a "palavra". Pedro acabara de falar sobre Palavra de Deus que vive e permanece para sempre (1.23-25). Por isso, é a Palavra de Deus que Pedro tem em mente aqui ao mencionar o genuíno "leite espiritual".[131]

A palavra grega *brefos* usada por Pedro descreve o fruto do ventre, podendo referir-se tanto ao feto como ao bebê no primeiro período de vida, o lactente.¹³² Uma criança saudável deseja ardentemente o leite materno. Disso depende sua saúde e seu crescimento.

Pedro caracteriza o leite de duas maneiras: deve ser racional (genuíno) e não falsificado (não contaminado), como informa a *ARC*. Denota uma ausência de fraude e engano. É alimento espiritual e não material. A palavra grega usada por Pedro é *adolos,* ou seja, ausente de dolo, sem a menor mescla de nada que possa ser nocivo. Descreve o cereal que está isento de resíduos.¹³³ A Palavra de Deus é pura. Não há crescimento espiritual onde a Palavra de Deus é sonegada ao povo. Não há saúde espiritual onde a sã doutrina não está no cardápio diário do povo. Alimentar o povo com a palha das falsas doutrinas em vez de nutri-lo com o trigo da verdade é como dar leite contaminado a um recém-nascido. Mata mais rápido que a fome. A Palavra de Deus tem a vida, dá a vida e sustenta a vida. É preciso ansiar pela Palavra de Deus como recém-nascidos famintos.

Em segundo lugar, *o propósito. ... para que, por ele, vos seja dado crescimento para salvação* (2.2b). A Palavra de Deus nos torna sábios para a salvação (2Tm 3.15) e nos dá crescimento para salvação. Nascemos da Palavra e crescemos pela Palavra.

Em terceiro lugar, *a constatação. Se é que já tendes a experiência de que o Senhor é bondoso* (2.3). Nossa salvação e nosso crescimento espiritual são resultado da bondade de Deus. Ele não apenas nos deu vida, mas cuida de nós, providenciando todas as coisas necessárias para nosso crescimento e amadurecimento na fé. A verdade insofismável da bondade de Deus perpassa todas as Escrituras, e sua prova máxima é Jesus Cristo sendo entregue à morte de cruz pelos nossos pecados.

A palavra grega *egeusasthe,* "provar", traz a ideia de provar uma comida. Devemos saborear a bondade de Deus da mesma maneira que desejamos ardentemente o leite genuíno da Palavra. Quem recebeu a nova vida de Deus no renascimento saboreou que o Senhor é bondoso. Na Palavra, degustamos que o Senhor é bondoso e, na Palavra que nos nutre, experimentamos isso constantemente.[134]

A posição de Cristo é fundamental (2.4)
Pedro passa da metáfora do leite para a metáfora da pedra. Faz uma transição de quem somos para o que Cristo é. Somos como recém-nascidos que precisam de leite para crescer, mas Cristo é a pedra fundamental sobre a qual a igreja é edificada. O segredo do crescimento é nossa comunhão com Cristo. Precisamos aproximar-nos dele. De Cristo emana todo o poder para uma vida nova. Kistemaker destaca que o ato de aproximar-nos de Jesus é um ato de fé que acontece não apenas uma vez, mas continuamente.[135]

Para que esta aproximação pudesse acontecer, Deus expôs o próprio Filho à morte aviltante na cruz. Ali naquele tosco lenho, Jesus verteu seu sangue. Foi transpassado pelas nossas iniquidades e moído pelos nossos pecados. Ali derramou seu sangue e morreu em nosso lugar, abrindo para nós um novo e vivo caminho até Deus.

Agora podemos aproximar-nos dele. O próprio Jesus convida para si todos os cansados e sobrecarregados (Mt 11.28). Esse convite é repetido a todos os cristãos (Ap 22.17). Quando o véu que separava o lugar do tabernáculo de Deus do resto do templo foi rasgado, na morte de Jesus, a boa nova de alegria pôde assim ser anunciada: o caminho para Deus está aberto. O próprio Jesus é a porta do céu, o caminho para Deus; por intermédio dele todos podem ir ao Pai.[136]

Vamos destacar aqui alguns pontos importantes.

Em primeiro lugar, *Cristo é a pedra viva. Chegando-vos para ele, a pedra que vive...* (2.4a). A expressão "a pedra que vive" parece um paradoxo: uma pedra não tem vida. Nas Escrituras, porém, o termo *pedra* algumas vezes tem significado figurativo (Sl 118.22; Is 8.14; 28.16; Mt 21.42; Mc 12.10,11; Lc 20.17; At 4.11; Rm 9.33). O próprio Pedro usou essa imagem quando se dirigiu ao Sinédrio e retratou Jesus Cristo como *pedra rejeitada por vós, os construtores, a qual se tornou pedra angular* (At 4.11).[137] Jesus não é apenas a pedra que vive, mas é também aquele que dá a vida. Holmer aponta corretamente que Cristo é a pedra viva no sentido de que ele é a vida e ao mesmo tempo vivifica.[138]

Não há vida nem crescimento espiritual à parte de Cristo. Nele somos salvos e nele crescemos. Cristo é a fonte da vida. Ele é a pedra de esquina, a pedra fundamental, que sustenta todas as outras pedras do edifício. É importante destacar que Cristo, e não Pedro, é a pedra sobre a qual a igreja é edificada (2.4-8; At 4.11; 1Co 3.11; 10.4). O próprio Jesus esclarece esse ponto em Mateus 16.18: *Também eu te digo que tu és Pedro, e sobre esta pedra edificarei a minha igreja, e as portas do inferno não prevalecerão contra ela.* Cristo é o dono, o fundamento, o edificador e o protetor da igreja.

Cristo é a pedra que vive. Ele venceu a morte e ressuscitou dentre os mortos para nossa justificação. Não seguimos o Cristo que esteve vivo e agora está morto, mas o Cristo que esteve morto e agora está vivo, pelos séculos dos séculos. Mueller diz com razão que esta é a força que move os cristãos na proclamação e vivência da mensagem evangélica: seu Senhor é o Deus vivo e presente.[139]

Em segundo lugar, *Cristo é a pedra rejeitada. ... rejeitada, sim, pelos homens...* (2.4b). Em duas linhas paralelas, é-nos dito agora como esta Pedra é considerada e avaliada, primeiramente por parte dos homens e depois por parte de Deus. Segundo os homens, ela é rejeitada. Segundo Deus, é eleita e preciosa.

Os construtores, ao erguer um edifício, aceitavam algumas pedras e recusavam outras. A palavra grega *apodedokimasmenon* significa "rejeitar depois de haver testado".[140] Como construtores insensatos, alguns recusaram a Cristo, a pedra principal do edifício. Seguramente o maior erro de avaliação que alguém pode cometer na vida consiste em, depois de avaliar quem é Cristo, ainda assim o rejeitar (Mt 21.42-45). Aqueles que rejeitam a Cristo edificam sem fundamento, constroem para a destruição. Eles tropeçarão nessa Pedra rejeitada, a qual os esmagará. Kistemaker diz que, embora Cristo seja uma fundação firme para qualquer um que coloque nele a sua fé, é também uma pedra que esmaga aqueles que o rejeitam.[141]

Em terceiro lugar, *Cristo é a pedra eleita e preciosa. ... mas para com Deus, eleita e preciosa* (2.4c). Cristo é o eleito de Deus, e nele nós somos eleitos.[142] O sangue de Cristo é precioso (1.19), e Cristo é a pedra preciosa para Deus (2.4). É seu Filho amado em quem ele tem todo o seu prazer. Cristo foi o eleito de Deus para nos redimir dos nossos pecados e nos fazer sacerdotes para Deus.

A nossa posição em Cristo é orgânica (2.5-8)

Pedro faz uma transição de quem Cristo é para quem nós somos nele. Vejamos a descrição que o apóstolo faz da igreja.

Em primeiro lugar, *nós somos pedras que vivem. Também vós mesmos, como pedras que vivem...* (2.5a). Se Cristo é a pedra que vive, os que estão nele são como pedras que vivem. Ele, o novo Homem, o novo Adão, transforma em homens novos aqueles que, por fé, se chegam a ele.[143] Cada pessoa que se converte a Cristo e se torna membro da igreja do Deus vivo é uma pedra viva tirada da pedreira da incredulidade e acrescentada ao edifício da igreja. Os cristãos são as pedras que gradativamente compõem a estrutura dessa construção. Jesus está edificando sua igreja. Deus está chamando aqueles que foram comprados com o sangue do Cordeiro e que procedem de toda tribo, raça, língua e nação, para formarem um povo exclusivamente seu, zeloso, de boas obras. William Barclay destaca que "pedras vivas" traz a ideia de que o cristianismo é uma comunidade. O "cristão independente", que se diz cristão, mas se julga muito superior para pertencer a uma igreja visível estabelecida sobre a terra, em qualquer de suas formas, é uma contradição de termos.[144]

Em segundo lugar, *nós somos casa espiritual. ... sois edificados casa espiritual...* (2.5b). Somos não apenas pedras vivas, mas também casa espiritual, morada de Deus. Somos templo do Espírito, o Santo dos Santos onde a glória de Deus se manifesta. Concordo com Warren Wiersbe quando ele diz que todos os cristãos pertencem a uma só "casa espiritual". Existe uma unidade no meio do povo de Deus que transcende todos os grupos e congregações locais.[145]

Em terceiro lugar, *nós somos sacerdócio santo. ... para serdes sacerdócio santo, a fim de oferecerdes sacrifícios espirituais agradáveis a Deus por intermédio de Jesus Cristo* (2.5c). Além de pedras vivas e santuário da habitação de Deus, somos sacerdotes santos que oferecem a Deus sacrifícios espirituais. Mueller aponta como significativo o fato de que todos os cristãos fazem parte desse sacerdócio, e não somente um grupo de clérigos institucionalmente ordenados ou alguma casta sacerdotal.¹⁴⁶ Calvino expressa essa verdade com exultação: "É uma honra singular o fato de que Deus não apenas nos consagrou como templos para ele, nos quais ele habita e é adorado, mas também nos fez sacerdotes".¹⁴⁷

Na antiga dispensação, apenas os sacerdotes podiam oferecer sacrifícios a Deus e apenas o sumo sacerdote podia entrar no Santo dos Santos uma vez ao ano com o sangue da expiação. No entanto, ao morrer na cruz, Jesus ofereceu o sacrifício perfeito. Verteu seu próprio sangue. O véu do santuário foi rasgado de alto a baixo. Agora, somos constituídos sacerdotes e temos livre acesso à presença de Deus. A palavra latina equivalente a sacerdote é *pontifix,* que significa "construtor de pontes". Cristo é a ponte que nos reconciliou com Deus e, agora, como sacerdotes, temos livre acesso a Deus.

Não precisamos mais levar ao altar o sangue de animais, pois o Cordeiro imaculado de Deus foi imolado e ofereceu um único, perfeito e irrepetível sacrifício (Hb 9.28). Agora, levamos a Deus sacrifícios espirituais. O que isso significa? Devemos oferecer a ele nosso corpo como sacrifício vivo, santo e agradável (Rm 12.1); o louvor dos nossos lábios (Hb 13.15); as boas obras que realizamos em favor dos outros (Hb 13.16). O dinheiro e outros bens materiais que compartilhamos com outros no serviço de Deus também são sacrifícios espirituais (Fp 4.18). Até mesmo as pessoas que ganhamos para Cristo são sacrifícios para a glória do Senhor (Rm 15.16).¹⁴⁸

Os sacrifícios precisam ser agradáveis a Deus. A palavra grega *euprosdektous,* traduzida por "agradáveis" na *ARA* e "aceitáveis" na *NVI*, pressupõe haver sacrifícios não aceitáveis a Deus como o sacrifício que Caim (Gn 4.5;

Hb 11.4) e aqueles que o povo de Deus lhe ofereceu algumas vezes (Is 1.10-17; Jr 6.20; Os 6.6). A adoração precisa ser verdadeira e sincera.

Pedro ressalta ainda que todos esses sacrifícios espirituais precisam ser oferecidos a Deus por intermédio de Jesus Cristo. Somos aceitos nele e tudo o que fazemos para Deus precisa ser em seu nome e por seu intermédio. Nosso culto só é agradável a Deus quando relacionado com Cristo e por ele mediado (Hb 4.14-16; 5.1-10; 7.20-28; 1Jo 2.1).

Em quarto lugar, *nós somos crentes em Cristo* (2.6-8). Assim está escrito:

> *Pois isso está na Escritura: Eis que ponho em Sião uma pedra angular, eleita e preciosa; e quem nela crer não será, de modo algum, envergonhado. Para vós outros, portanto, os que credes, é a preciosidade; mas, para os descrentes, a Pedra que os construtores rejeitaram, essa veio a ser a principal pedra, angular e: Pedra de tropeço e rocha de ofensa. São estes os que tropeçam na palavra, sendo desobedientes, para o que também foram postos* (2.6-8).

Pedro volta-se para as Escrituras a fim de contrastar crentes e descrentes (Is 28.16; Sl 118.22; Is 8.14; Êx 19.6; Is 53; Os 1.6,9; 2.3,25). Para os crentes, Cristo é a pedra angular, eleita e preciosa, a maior preciosidade. Holmer declara: "Crer nele significa alicerçar-se nele".[149] Os crentes colocam sua confiança em Cristo, creem nele e, por isso, jamais serão envergonhados. Jesus Cristo, o objeto da nossa fé, honrará nossa dependência dele. Jamais nos decepcionará e jamais permitirá que sejamos envergonhados.[150] No grande dia do julgamento, os crentes sairão vitoriosos rumo à glória eterna. Os descrentes, porém, como construtores loucos que rejeitam a Cristo, a principal pedra, a pedra angular, serão derrotados e envergonhados. Cristo será para eles pedra de tropeço e rocha de ofensa. Os descrentes tropeçam na palavra e continuam irremediavelmente no caminho largo da desobediência. Kistemaker alerta que a pedra causa embaraço, ofensa e dor para aqueles que se recusam a crer. Colocamos nossa fé em Jesus, a pedra fundamental, ou batemos com o nosso pé contra ela.[151]

Pedra de tropeço é aquela que faz o caminhante tropeçar, e rocha de ofensa refere-se especificamente às pedras que se soltam nas montanhas, rolando e caindo sobre os caminhantes. A figura é que Cristo está no caminho de todos. Para uns, torna-se bênção preciosa; para outros, tropeço do qual não mais conseguirão refazer-se. Aquele que poderia ser o Salvador torna-se assim o condenador.[152] Pedro deixa implícito que Deus destinou o povo desobediente à destruição eterna. As Escrituras ensinam que Deus escolhe e salva os homens (Rm 9.15,16). No entanto, o Senhor responsabiliza os descrentes por aquilo que eles fazem e o Senhor assegura que, por causa da incredulidade, eles estão destinados à perdição.

A nossa identidade espiritual é clara (2.9a)

Em contraste com os descrentes que rejeitaram a Cristo e nele tropeçaram, nós, povo de Deus, somos identificados por Pedro como um povo escolhido por Deus para a salvação e também para uma missão especial no mundo. Vejamos.

Em primeiro lugar, *nós somos raça eleita. Vós, porém, sois raça eleita...* (2.9). Pedro toma emprestada a profecia de Isaías: *... ao meu povo, ao meu escolhido, ao povo que formei para mim, para celebrar o meu louvor* (Is 43.20b,21). Pedro vê os crentes como o corpo de Cristo, a igreja.[153] Assim como Deus escolheu Israel dentre as nações para ser seu povo exclusivo, escolheu pessoas de entre todas as nações para formar sua igreja. Somos uma raça escolhida por Deus dentre todos os povos da terra. Mueller diz que os cristãos formam uma nova raça, diferente tanto de judeus como de gentios.[154]

O Senhor não escolheu Israel porque era um grande povo, mas porque o amava (Dt 7.7,8). Assim também, Deus nos escolheu com base em seu amor e em sua graça. Jesus foi categórico: *Não fostes vós que me escolhestes a mim; pelo contrário, eu vos escolhi a vós outros* (Jo 15.16).

Em segundo lugar, *nós somos sacerdócio real. ... sacerdócio real...* (2.9). Somos não apenas sacerdotes na casa de Deus, mas sacerdócio real, porque servimos ao Rei dos reis e porque esse serviço é realizado em prol do reino de Deus. O adjetivo descritivo *real* dá a entender a existência de um reino e de um rei. O Messias é tanto sacerdote quanto rei, conforme a profecia de Zacarias: *Será revestido de glória; assentar-se-á no seu trono e dominará, e será sacerdote no seu trono* (Zc 6.13). Warren Wiersbe observa corretamente que, no tempo do Antigo Testamento, o povo de Deus possuía um sacerdócio, mas agora é um sacerdócio. Todo cristão tem o privilégio de entrar na presença de Deus (Hb 10.19-25). Ninguém se achega a Deus por meio de alguma pessoa aqui na terra, mas pelo único mediador, Jesus Cristo (1Tm 2.5).[155]

Em terceiro lugar, *nós somos nação santa. ... nação santa...* (2.9). Pedro retrata o povo de Deus como uma nação santa, o que significa que seus cidadãos foram separados para servir a Deus.[156] Deus nos escolheu para a salvação mediante a santificação e para a santificação. Deus nos salvou do pecado, e não no pecado.

Em quarto lugar, *nós somos povo de propriedade exclusiva de Deus. ... povo de propriedade exclusiva de Deus...* (2.9).

Ao longo dos séculos, Deus tem tomado para si o seu próprio povo. Esse povo, diferente de todas as nações do mundo, é um bem precioso para Deus, a herança de Deus. Existe independentemente de laços nacionais, pois tem um relacionamento especial com Deus. Ele pertence a Deus, que o comprou com o sangue de Jesus Cristo.[157] Holmer tem razão em dizer que "nenhuma outra pessoa pode reclamar direitos de posse sobre o povo, senão unicamente Deus".[158] Assim como Deus não divide sua glória com ninguém, também não nos reparte com ninguém. Somos dele, só dele. O nosso valor não é devido a quem nós somos, mas a quem Deus é. O valor não está na pessoa possuída, mas no possuidor. A grandeza do cristão está no fato de pertencer a Deus. Porque somos propriedade exclusiva de Deus, temos valor infinito!

A nossa missão no mundo é sublime (2.9b,10)

Depois de descrever os privilégios e atributos da igreja, Pedro fala sobre a missão da igreja. Fomos salvos pela graça para uma sublime missão. Fomos chamados do mundo para proclamarmos ao mundo uma mensagem imperativa, intransferível e impostergável. Destacamos aqui dois pontos importantes.

Em primeiro lugar, *o conteúdo da mensagem. ... a fim de proclamardes as virtudes daquele que vos chamou das trevas para a sua maravilhosa luz* (2.9). A palavra grega *aretes*, "virtudes", era um termo amplamente difundido na época e muito importante na concepção ética e religiosa do helenismo. Estão em vista as grandes obras de Deus na história do seu povo. Esses feitos maravilhosos de Deus tratam da vida, morte e ressurreição de Jesus Cristo como a transformação libertadora do homem e do seu mundo.[159] Também estão em foco aqui as virtudes de Deus, como poder, glória, sabedoria, graça, misericórdia, amor e santidade. Por meio de sua conduta, os cristãos devem testemunhar que são filhos da luz, e não das trevas (1Ts 5.4).[160]

Somos embaixadores dos atributos de Deus e de seus gloriosos feitos. Não podemos calar nossa voz. Não podemos guardar para nós essa mensagem. Precisamos proclamar em alto e bom som quem é Deus e o que ele fez por nós em Cristo Jesus. Reforçando esse pensamento, William Barclay esclarece que a missão do cristão é contar aos outros o que Deus tem feito por sua alma. Por meio da própria vida e das próprias palavras, o cristão é uma testemunha do que Deus tem feito por ele, pela mediação de Cristo Jesus.[161]

Concluímos esse pensamento, com as palavras de Holmer:

> Quem experimentou a intervenção resgatadora de Deus em sua vida não pode silenciar a esse respeito, uma vez que sabe que foi arrancado do âmbito de poder das trevas e transferido para o senhorio libertador do Ressuscitado. *Trevas* significa distância de Deus, designa o que é diabolicamente mau. O ser humano distante de Deus vive nas trevas e realiza obras das trevas. Deus, porém, chama para fora das trevas – para dentro de sua maravilhosa luz.[162]

Em segundo lugar, *a motivação para a mensagem. Vós, sim, que, antes, não éreis povo, mas, agora, sois povo de Deus, que não tínheis alcançado misericórdia, mas, agora, alcançastes misericórdia* (2.10). Pedro faz aqui um forte contraste entre o passado dos cristãos e o seu presente. O que Deus fez por nós deve ser uma forte motivação para cumprirmos com zelo, fidelidade e urgência a missão que nos confiou. Não éramos povo, mas agora somos seu povo de propriedade exclusiva. Estávamos perdidos, sem esperança no mundo, entregues à nossa própria desventura, mas agora Deus derramou copiosamente sobre nós sua misericórdia. Agora, somos filhos de Deus, morada de Deus, sacerdotes de Deus, para realizarmos a obra de Deus. William Barclay diz que a característica dominante das religiões não cristãs é o medo de Deus. O cristão, porém, descobriu em Jesus Cristo o amor e a misericórdia de Deus.[163]

Notas do capítulo 4

[116] HOLMER, Uwe. *Primeira Carta de Pedro*, p. 171.
[117] KISTEMAKER, Simon. *Epístolas de Pedro e Judas,* p. 109.
[118] MUELLER, Ênio R. *I Pedro: Introdução e comentário*, p. 120.
[119] MUELLER, Ênio R. *I Pedro: Introdução e comentário*, p. 120.
[120] KISTEMAKER, Simon. *Epístolas de Pedro e Judas,* p. 110.
[121] MUELLER, Ênio R. *I Pedro: Introdução e comentário*, p. 120.
[122] KISTEMAKER, Simon. *Epístolas de Pedro e Judas,* p. 110.
[123] BARCLAY, William. *Santiago, I y II Pedro*, p. 218.
[124] BARCLAY, William. *Santiago, I y II Pedro*, p. 218.
[125] HOLMER, Uwe. *Primeira Carta de Pedro*, p. 172.
[126] BARCLAY, William. *Santiago, I y II Pedro*, p. 218,219.
[127] BARCLAY, William. *Santiago, I y II Pedro*, p. 219.
[128] MUELLER, Ênio R. *I Pedro: Introdução e comentário*, p. 119.

[129] BARCLAY, William. *Santiago, I y II Pedro*, p. 221.
[130] KISTEMAKER, Simon. *Epístolas de Pedro e Judas,* p. 111.
[131] BARCLAY, William. *Santiago, I y II Pedro*, p. 220.
[132] MUELLER, Ênio R. *I Pedro: Introdução e comentário*, p. 121.
[133] BARCLAY, William. *Santiago, I y II Pedro*, p. 220.
[134] HOLMER, Uwe. *Primeira Carta de Pedro,* p. 174.
[135] KISTEMAKER, Simon. *Epístolas de Pedro e Judas,* p. 116.
[136] MUELLER, Ênio R. *I Pedro: Introdução e comentário*, p. 125.
[137] KISTEMAKER, Simon. *Epístolas de Pedro e Judas,* p. 116.
[138] HOLMER, Uwe. *Primeira Carta de Pedro,* p. 175.
[139] MUELLER, Ênio R. *I Pedro: Introdução e comentário*, p. 125.
[140] MUELLER, Ênio R. *I Pedro: Introdução e comentário*, p. 126.
[141] KISTEMAKER, Simon. *Epístolas de Pedro e Judas,* p. 117.
[142] MUELLER, Ênio R. *I Pedro: Introdução e comentário*, p. 126.
[143] MUELLER, Ênio R. *I Pedro: Introdução e comentário*, p. 127.
[144] BARCLAY, William. *Santiago, I y II Pedro*, p. 224.
[145] WIERSBE, Warren W. *Comentário bíblico expositivo,* p. 517.
[146] MUELLER, Ênio R. *I Pedro: Introdução e comentário*, p. 127,128.
[147] CALVIN, John. *Commentaries on the Catholic Epistles: The First Epistle of Peter.* Grand Rapids, MI: Eerdmans, 1948, p. 65.
[148] WIERSBE, Warren W. *Comentário bíblico expositivo,* p. 518.
[149] HOLMER, Uwe. *Primeira Carta de Pedro,* p. 178.
[150] KISTEMAKER, Simon. *Epístolas de Pedro e Judas,* p. 121.
[151] KISTEMAKER, Simon. *Epístolas de Pedro e Judas,* p. 124.
[152] MUELLER, Ênio R. *I Pedro: Introdução e comentário*, p. 133.
[153] KISTEMAKER, Simon. *Epístolas de Pedro e Judas,* p. 126.
[154] MUELLER, Ênio R. *I Pedro: Introdução e comentário*, p. 135.
[155] WIERSBE, Warren W. *Comentário bíblico expositivo,* p. 517.
[156] KISTEMAKER, Simon. *Epístolas de Pedro e Judas,* p. 127.
[157] KISTEMAKER, Simon. *Epístolas de Pedro e Judas,* p. 127.
[158] HOLMER, Uwe. *Primeira Carta de Pedro,* p. 180.
[159] MUELLER, Ênio R. *I Pedro: Introdução e comentário*, p. 137.
[160] KISTEMAKER, Simon. *Epístolas de Pedro e Judas,* p. 127.
[161] BARCLAY, William. *Santiago, I y II Pedro*, p. 226.
[162] HOLMER, Uwe. *Primeira Carta de Pedro,* p. 180,181.
[163] BARCLAY, William. *Santiago, I y II Pedro*, p. 227.

Capítulo 5

Submissão, uma marca do povo de Deus
(1Pe 2.11-25)

ATÉ AQUI PEDRO TRATOU dos privilégios recebidos pelo povo de Deus (2.1-10); a partir de agora, adverte-nos sobre nossos deveres (2.11-3.12). Pedro faz a ponte entre o que Deus concedeu aos cristãos e como isso deve agora se refletir no mundo, de forma que aproxime outras pessoas do mesmo Deus.[164]

Pedro aborda a questão da submissão no contexto do governo, do trabalho, da família e da igreja. Deus instituiu o lar, o governo humano e a igreja, e tem o direito de dizer como essas instituições devem ser administradas.[165] O mesmo Deus que salva seu povo requer dele obediência em todas as áreas da vida. É bem conhecida a advertência de A. W. Tozer: "Para evitar o erro da salvação pelas obras, nós caímos no erro oposto, da salvação sem obediência".

Em meio às injustiças sofridas e ao fogo da perseguição crescente, Pedro mostra a importância da submissão na vida do cristão. A submissão é uma evidência da plenitude do Espírito (Ef 5.18-21) e uma prova da obediência a Deus. Os cristãos maduros, por causa da obediência a Deus, submetem-se ao governo, aos patrões e uns aos outros. Pedro aplica o tema da submissão à vida do cristão como cidadão (2.11-17), trabalhador (2.18-25), cônjuge (3.1-7) e membro da igreja (3.8-12).[166]

O comportamento cristão (2.11,12)

Como pastor do rebanho (5.1), Pedro se dirige às ovelhas de Cristo em um tom paternal. Destacamos alguns pontos importantes aqui.

Em primeiro lugar, *os cristãos são amados por Deus. Amados...* (2.11a). Os cristãos são alvo do amor incondicional de Deus (2.11; 4.12). Foram chamados das trevas para a luz, do pecado para a santidade. O amor de Deus é incondicional. Nada podemos fazer para Deus nos amar menos ou mais. A causa do amor de Deus por nós está nele mesmo.

Em segundo lugar, *os cristãos são peregrinos e forasteiros no mundo. ...exorto-vos, como peregrinos e forasteiros que sois...* (2.11b). A expressão "peregrinos e forasteiros" retoma dois conceitos já abordados (1.1,17). Trata-se de dois grupos sociais distintos, mas aparentados dentro do espectro social: *paroikoi* (peregrinos) pode ser melhor traduzido por "estrangeiros residentes", uma classe de habitantes sem plenos direitos de cidadania. Refere-se a retirantes que residem sem pátria e cidadania em local estranho.[167] *Parapidemoi* são forasteiros visitantes, que se detêm num lugar por certo tempo, mas não se configuram como residentes.[168] Com isso, Pedro diz que precisamos ter consciência da interinidade de nossa existência terrena.

O povo de Deus não tem cidadania permanente aqui. Nascemos do Espírito, nascemos de cima, e nossa pátria está no céu (Fp 3.20). Estamos viajando para a cidade celestial (Hb 11.8-16). Estamos aqui de passagem e não temos casa permanente. Como afirmamos antes, palavra grega *paraikos,* "peregrinos", indica um estrangeiro residente, que não tem cidadania, enquanto a palavra grega *paredimós,* "forasteiros", retrata aqueles que habitam na terra apenas por um breve tempo, como visitantes, pois sabem que a sua pátria está no céu (Fp 3.20).[169] Esses termos foram usados para descrever os patriarcas, especialmente Abraão, que buscava a cidade cujo arquiteto e fundador é Deus (Hb 11.9,10).

Em terceiro lugar, *os cristãos são guerreiros espirituais. ... a vos absterdes das paixões carnais, que fazem guerra contra a alma* (2.11c). A vida cristã é um campo de guerra. Travamos uma batalha sem trégua contra o diabo, o mundo e a carne. Warren Wiersbe ressalta que a nossa verdadeira luta não é contra as pessoas que nos cercam, mas sim contra as paixões dentro de nós.[170] No texto, Pedro destaca a necessidade de nos abstermos das paixões carnais. Quais são essas paixões carnais? O próprio Pedro responde: *dissoluções, borracheiras, orgias, bebedices e... detestáveis idolatrias* (4.3). Na batalha espiritual, devemos resistir ao diabo, não nos conformar com mundo, mas fugir das paixões carnais. O caminho da vitória sobre as paixões carnais não é o enfrentamento, mas a fuga e a abstinência. Essas paixões carnais incluem as obras da carne (Gl 5.19-21), mas vão além delas. Concordo com William Barclay no sentido de que essas paixões carnais compreendem também o orgulho, a inveja, a malícia, o ódio e os maus pensamentos que caracterizam a caída natureza humana.[171] Essas paixões guerreiam contra nossa alma a fim de contaminá-la e destruí-la.

Em quarto lugar, *os cristãos são exemplo de conduta irrepreensível num mundo hostil. Mantendo exemplar o vosso procedimento no meio dos gentios, para que, naquilo que falam contra vós outros como de malfeitores...* (2.12a). Os gentios aqui não são uma raça distinta dos judeus, mas os incrédulos, sejam eles gentios ou judeus. Os não salvos nos observam, falam contra nós (3.16; 4.4) e procuram desculpas para rejeitar o evangelho.[172] Os cristãos estavam sendo acusados injustamente por muitos delitos e crimes. Estavam debaixo de intensa hostilidade e sofrendo graves injustiças. Manter uma conduta irrepreensível quando somos aplaudidos e elogiados é fácil; o desafio é manter exemplar o procedimento mesmo quando somos alvos de maledicência.

Em quinto lugar, *os cristãos são o argumento irresistível de Deus no mundo. ... observando-vos em vossas boas obras, glorifiquem a Deus no dia da visitação* (2.12b). A vida dos cristãos é como uma cidade no alto de um monte; não pode esconder-se. Simon Kistemaker pondera que os cristãos estão vivendo numa vitrine; estão à mostra. Sua conduta, obras e palavras são constantemente avaliadas pelos não-cristãos que querem constatar se os cristãos vivem aquilo que professam.[173]

O mundo olha para nós. Pode discordar de nós e até nos atacar, mas não pode deixar de reconhecer nossas boas obras. Essas boas obras, realizadas num ambiente hostil, diante de maledicentes, são uma mensagem evangelística eficaz, uma vez que tais pessoas serão impactadas e chegarão ao conhecimento da salvação para glorificar a Deus no dia da visitação. Esse dia, neste contexto, significa a ocasião de graça e misericórdia, na qual os não-cristãos aceitarão a oferta da salvação e glorificarão a Deus em gratidão.[174]

Submissão no âmbito do governo (2.13-17)

Deus instituiu a família, a igreja e o governo. Ele não é Deus de confusão, mas de ordem. O princípio de autoridade e o dever de submissão são ensinos claros nas Escrituras. Mesmo num contexto turbulento como o império romano e mesmo tendo o insano imperador Nero no poder, Pedro não recua nem transige com a verdade. Destacamos aqui alguns pontos importantes.

Em primeiro lugar, *a abrangência da submissão. Sujeitai-vos a toda instituição humana...* (2.13a). Pedro aborda a submissão primeiro num âmbito mais geral. A magistratura certamente existe por direito divino, mas a forma particular de governo, o poder da magistratura, e as pessoas que devem executar esse poder são instituições humanas, governadas por leis e constituições de cada país particularmente.[175]

A palavra grega *hypotagete*, traduzida por "sujeitai-vos", significa "colocar-se debaixo de", "submeter-se". Os cristãos se colocam voluntariamente sob a égide das autoridades públicas, prestando-lhes uma submissão cristã sem subserviência.[176] A submissão não é uma opção, mas um mandamento. Um cristão não pode ser anárquico nem rebelde. Pode e deve discordar de uma autoridade constituída sempre que ela exorbitar em suas funções e for além de sua competência, mas jamais pode insurgir-se contra o princípio de autoridade. Concordo com Ênio Mueller quando escreve: "O princípio da vida cristã redimida não deve ser a autoafirmação, ou a exploração mútua, mas a submissão voluntária aos outros".[177] A fé cristã nos ensina a honrar o próximo. Devemos colocar os interesses do próximo acima dos nossos interesses. Devemos ter mais alegria em dar que em receber, e mais alegria em servir que em ser servido.

Em segundo lugar, *a motivação para a submissão. ... por causa do Senhor...* (2.13b). Submissão não significa obediência cega nem subserviência. No projeto de Deus, não há espaço para o autoritarismo despótico nem para o absolutismo. Reis e governadores não têm o poder absoluto. O poder que exercem é outorgado por Deus (Rm 13.1-3). Por isso, são autoridades constituídas por Deus e devem governar sob a autoridade absoluta de Deus. Quando um governo se assenta no trono e arroga para si o título de "Senhor e Deus", como fizeram alguns imperadores romanos, está em completo desacordo com os preceitos de Deus. Nesse caso, a desobediência civil não é apenas uma possibilidade, mas uma necessidade, uma vez que importa obedecer a Deus mais que aos homens (At 5.29). Nossa obediência às autoridades constituídas decorre de nossa obediência a Deus. É por causa do Senhor que somos submissos às autoridades. Essa compreensão levou Matthew Henry a afirmar: "A verdadeira religião é o melhor amparo do governo civil; requer submissão, por amor do Senhor, e por amor à consciência".[178]

Ênio Mueller está coberto de razão quando afirma que a submissão "por causa do Senhor" já começa um processo de relativização e "desdivinização" das autoridades e instituições públicas. Não é por causa delas (como se fossem divinas) que o cristão se submete, mas por uma causa externa a elas, Jesus Cristo.[179] Simon Kistemaker acerta em dizer que com a expressão "por causa do Senhor", Pedro deixa implícito que Deus é soberano em todas as áreas e está plenamente no controle de tudo.[180]

Em terceiro lugar, *os níveis de autoridade. ... quer seja ao rei, como soberano, quer às autoridades, como enviadas por ele...* (2.13c,14a). O que Pedro está dizendo é que, não importa o sistema de governo – monarquia, presidencialismo ou parlamentarismo –, devemos prestar obediência. Não importa se a autoridade é um rei, presidente ou primeiro-ministro, nosso dever é sujeitar-nos a ela. Esse respeito e essa obediência não são à pessoa, mas à função que ela ocupa. Simon Kistemaker ressalta que Pedro escreveu esta epístola nos últimos anos do perverso imperador Nero. Este subiu ao poder em 54 d.C., aos 17 anos de idade, e cometeu suicídio 14 anos depois, em 68 d.C. Durante o reinado desse imperador, o próprio Pedro sofreu o martírio. Por sua conduta, Nero não era digno do alto cargo de imperador romano. Mesmo assim, Pedro o reconhece como soberano e exorta os cristãos a honrá-lo.[181]

Pedro diz que a obediência do povo de Deus deve ser endereçada ao rei e aos governadores nomeados por ele. O Novo Testamento faz referências, por exemplo, aos governadores Pilatos, Félix e Festo. Aqueles que governam, não importa em que escalão, governam por concessão divina. Jesus disse a Pilatos: "Nenhuma autoridade terias sobre mim, se de cima não te fosse dada" (Jo 19.11). O apóstolo Paulo é enfático: *Aquele que se opõe à autoridade resiste à ordenação de Deus* (Rm 13.2).

Em quarto lugar, *o dever da autoridade. ... tanto para castigo dos malfeitores como para louvor dos que praticam o bem* (2.14b). A autoridade é instituída por Deus com um duplo propósito: promover o bem e coibir o mal. O Estado, com sua ordem e leis, é o ministro de Deus competente para promover a justiça social e o bem geral da sociedade; ao mesmo tempo, é investido de autoridade para refrear o mal, punindo exemplarmente os culpados. Quando as autoridades, porém, se tornam omissas no cumprimento desses deveres ou se corrompem a ponto de promover o mal e coibir o bem, são passíveis de repreensão. Nesse momento, precisamos exercer nossa voz profética, denunciando abusos e desvios, ainda que isso nos custe a vida. Holmer diz que, quando a autoridade classifica o mal como bem e o bem como mal, quando se arroga o direito de controlar a consciência e a fé, vale a palavra de Jesus: *daí, pois, a César o que é de César e a Deus o que é de Deus* (Mt 22.21).[182]

Em quinto lugar, *o propósito da submissão. Porque assim é a vontade de Deus, que, pela prática do bem, façais emudecer a ignorância dos insensatos* (2.15). A obediência civil é expressa vontade de Deus para seu povo, especialmente num contexto em que esse povo é caluniado, perseguido e despojado. Um exemplo vale mais que mil palavras. O testemunho irrepreensível é melhor que discursos eloquentes. A prática do bem é um argumento irresistível que tapa a boca daqueles que se insurgem contra a igreja.

Em sexto lugar, *a natureza da submissão. Como livres que sois, não usando, todavia, a liberdade por pretexto da malícia, mas vivendo como servos de Deus* (2.16). Somos servos livres, pois a ética cristã começa na libertação de toda forma de escravidão.[183] A verdadeira liberdade promove o bem do próximo e a glória de Deus. Quanto mais servimos a Deus e ao próximo, mais livres somos. Kistemaker, citando

Lutero, diz que um cristão é um senhor perfeitamente livre sobre todas as coisas, não estando sujeito a nenhuma delas. Um cristão é um servo perfeitamente obediente a tudo e sujeito a todos.[184]

A submissão cristã não equivale a escravidão nem a fraqueza. Significa liberdade e força. Usar a liberdade cristã como motivo para a anarquia e a desobediência civil é corromper a liberdade e insurgir-se contra a natureza da submissão. Transformar liberdade em libertinagem e submissão em insurreição é um pecado contra Deus e uma afronta às autoridades. Holmer adverte quanto ao risco de tentarmos encobrir a maldade com o pretexto da liberdade. Isso seria abusar da liberdade. Porque a verdadeira liberdade é liberdade para o bem e para a obediência a Deus; é liberdade do pecado e da malícia.[185]

Pedro alerta que as paixões interiores podem sentir-se sem amarras que as limitem e, assim, liberadas, voltam a escravizar a pessoa. Por isso, a verdadeira liberdade supõe outra atitude: sermos "servos de Deus". William Barclay afirma corretamente que o cristão é livre porque é escravo de Deus. Nossa perfeita liberdade reside em servirmos a Deus.[186] Só somos verdadeiramente livres na medida em que somos servos de Deus.[187] É conhecido o adágio pronunciado por Agostinho de Hipona: "Quanto mais escravo de Cristo sou, mais livre me sinto".

Em sétimo lugar, *os limites da submissão*. *Tratai todos com honra, amai os irmãos, temei a Deus, honrai o rei* (2.17). Pedro nos dá quatro mandamentos aqui: 1. "Tratai a todos com honra". O cristão deve tratar a todos com o devido respeito, independentemente da sua posição na sociedade. Todo ser humano é digno de respeito por ser uma criatura feita por Deus. Num contexto como o império romano, que contava com sessenta milhões de escravos, a palavra de Pedro é revolucionária, pois os escravos não tinham direitos. Eram vistos como coisas, não como gente. É como se Pedro estivesse dizendo: Deem aos escravos dignidade humana; não os tratem como coisas. 2. "Amai os irmãos". A igreja é a família de Deus. E o que identifica os verdadeiros filhos de Deus é o amor praticado uns pelos outros. 3. "Temei a Deus". O temor a Deus é o princípio da sabedoria e o caminho para uma vida feliz (Pv 1.7). Temor significa reverência e respeito à pessoa de Deus a sua Palavra. O temor a Deus é a base da piedade cristã. Concordo com a declaração de Holmer: "Quem deseja amar a Deus sem temê-lo não tem diante de si o Deus da Bíblia. Até mesmo os mais altos anjos cobrem o rosto diante daquele que é três vezes santo".[188] 4. "Honrai o rei". A submissão cristã não aceita a absolutização do Estado nem a divinização do rei. O rei deve ser honrado de tal modo que o amor pelos irmãos e o temor a Deus não sejam violados.[189] A mesma honra que prestamos ao rei, dedicamos a todas as outras pessoas, nem menos nem mais. Assim como devemos tratar com honra um escravo, um idoso, uma criança e um estrangeiro, também devemos tratar com honra o rei.

Submissão no âmbito do trabalho (2.18-20)

A submissão é um princípio espiritual que rege a vida do cristão tanto como cidadão quanto trabalhador. Destacamos aqui alguns pontos.

Em primeiro lugar, *a submissão, a despeito da perversidade. Servos, sede submissos, com todo o temor ao vosso senhor, não somente se for bom e cordato, mas também ao perverso* (2.18). A fé cristã não incitou os crentes à rebeldia nem a um levante. Ao contrário, orientou-os a se submeterem, com todo o temor, a esses patrões, ainda que sofrendo injustiça e crueldade. A palavra grega usada aqui para descrever "senhor" é *Despotes,* de onde vem nossa palavra "déspota". O termo deixa implícito o poder e a autoridade ilimitada do senhor. Alguns cristãos serviam a mestres que eram bons e cheios de consideração, mas outros tinham de suportar os caprichos de mestres injustos e inescrupulosos.[190]

A palavra grega *oiketai,* "servos" (derivada de *oikos,* "casa"), designa moradores da casa, escravos domésticos ou escravos alforriados.[191] Portanto, Pedro se dirige aos "escravos domésticos ou da casa", aqueles que moravam e trabalhavam na casa de seus senhores. Na época, existiam mais de sessenta milhões de escravos no império romano e estes eram maioria na igreja primitiva. Segundo a lei romana, o escravo não era uma pessoa, mas um objeto, uma "ferramenta viva" para o trabalho.

Os escravos convertidos, por causa da sua nova identidade em Cristo, poderiam revoltar-se contra os seus patrões. Pedro, porém, recomenda que eles fossem submissos ao senhores, independentemente de estes serem bons ou ruins. Trata-se de uma orientação que também foi dada por Paulo (Ef 6.5; Cl 3.22; 1Tm 6.1; Tt 2.9).

O motivo da submissão está no temor a Deus. Por causa disso, o escravo deveria sujeitar-se ao seu patrão (1Pe 1.17, 3.2,15). O cristianismo não aboliu as distinções sociais, mas introduziu um conceito revolucionário de relacionamento. Todos os cristãos eram irmãos em Cristo Jesus (Fm 16). Todo trabalho deveria ser feito como se fosse para o próprio Jesus e para a glória de Deus (Cl 3.17; 1Co 10.31).

Em segundo lugar, *a submissão, a despeito da injustiça. Porque isto é grato, que alguém suporte tristezas, sofrendo injustamente, por motivo de sua consciência para com Deus* (2.19). Muitos escravos eram castigados com trabalhos forçados e açoites rudes. Naquela época, um escravo não tinha direitos garantidos por lei. Eram apenas ferramentas vivas. Seus sentimentos e desejos não eram respeitados. Mesmo suportando tristezas e injustiças, deveriam manter sua consciência pura diante de Deus, trabalhando com dedicação e reverência. Foi essa atitude dos escravos cristãos que impactou o império e provocou a maior de todas as revoluções, a revolução do amor que tudo vence. Concluímos, portanto, que a gratidão a Deus por sofrermos injustamente é o segundo fator motivacional para a submissão. Quando oferecemos o bem àqueles que nos dirigem o mal, somos recompensados por Deus (Lc 6.32-35). Quando suportamos injustiças fazendo a vontade de Deus, ele nos abençoa (Mt 5.11,12).

Em terceiro lugar, *a submissão, a despeito da aflição. Pois que glória há, se, pecando e sendo esbofeteados por isso, o suportais com paciência? Se, entretanto, quando praticais o bem, sois igualmente afligidos e o suportais com paciência, isto é grato a Deus* (2.20). O escravo não deveria jamais sofrer como rebelde insubmisso. Não há mérito algum em ser esbofeteado por ter sido flagrado no erro. O que agrada a Deus é o cristão sofrer por sua fé, por sua consciência limpa e pela prática do bem.

O exemplo máximo de submissão (2.21-25)

Depois de falar sobre a submissão em geral e sobre a necessidade de submetermo-nos aos governos e patrões, Pedro encoraja os cristãos oferecendo-lhes o modelo de Cristo, o maior de todos os exemplos de submissão. Pedro apresenta-nos três retratos de Cristo: ele é nosso exemplo

(2.21-23), morreu em nosso lugar (2.24) e é nosso Pastor atento no céu (2.25).[192] Pedro chama a atenção dos cristãos que sofrem injustamente neste mundo para o sofrimento de Cristo. Destacamos aqui alguns pontos.

Em primeiro lugar, *o sofrimento substitutivo de Cristo. Porquanto para isto mesmo fostes chamados, pois que também Cristo sofreu em vosso lugar, deixando-vos exemplo para seguirdes os seus passos* (2.21). Pedro encoraja seus leitores, que sofrem injustamente, a olharem para Jesus. Ao olharmos para Jesus, obtemos alento para suportar com paciência os sofrimentos da carreira cristã (Hb 12.1-3). Matthew Henry salienta que os sofrimentos de Cristo nos devem aquietar diante dos sofrimentos mais injustos e cruéis que enfrentamos no mundo. Se ele sofreu voluntariamente não por si mesmo, mas por nós, com a máxima prontidão, com perfeita paciência, de todos os lados, e tudo isso apesar de ser Deus-Homem, não deveríamos nós, que merecemos o pior, nos submeter às leves aflições desta vida, que produzem para nós vantagens indizíveis?[193]

Pedro recorre à profecia de Isaías 53, que trata do sofrimento e morte expiatória de Jesus, e aplica essa verdade doutrinária à vida do povo. Com isso, Pedro enfatiza que todo cristão foi chamado para uma vida de sofrimento. Concordo com Kistemaker quando diz que seguimos Cristo não no grau de angústia e dor, mas na maneira como ele suportou o sofrimento.[194]

Jesus alertou aos discípulos que o servo não é maior que o seu Senhor e que, assim como o mundo o odiava e o perseguia, também eles seriam perseguidos (Jo 15.20). Todo cristão, por causa da sua identificação com Cristo, tem um chamado para o sofrimento (Fp 1.29). Não existe discipulado sem cruz.

Todo cristão deve seguir o exemplo deixado por Cristo. Pedro usa a figura educacional de uma criança que aprende a escrever utilizando um "caderno de caligrafia". A palavra grega *jypogrammos,* traduzida por "exemplo", se refere "aos contornos claros das letras sobre os quais os alunos que aprendiam a escrever faziam os seus traços, e também a um conjunto de letras escritas no alto da página ou outro texto qualquer para ser copiado pelo aluno no resto da página".[195] Devemos escrever a nossa vida copiando o modelo de Jesus.

Em segundo lugar, *o exemplo deixado por Cristo. O qual não cometeu pecado, nem dolo algum se achou em sua boca* (2.22). Essa é a primeira citação direta à profecia messiânica de Isaías 53.9. Pedro cita essa passagem de Isaías para indicar a ausência total de pecado em Jesus. O ladrão crucificado à direita de Jesus afirmou acerca do Mestre: *... mas este nenhum mal fez* (Lc 23.41).

Jesus reprovaria as teses de John Locke, que afirmava ser o homem produto do meio. Jesus viveu num mundo caído, foi alvo das críticas mais perversas, dos ataques mais sórdidos, contudo jamais cometeu pecado e engano algum se achou em seus lábios. Embora não tenhamos condições de imitar a Cristo no sentido pleno, pois somos pecadores, devemos seguir suas pegadas, em busca de uma vida santa, mesmo sendo vítimas das mais profundas injustiças.

Em terceiro lugar, *a reação transcendente de Cristo. Pois ele, quando ultrajado, não revidava com ultraje; quando maltratado, não fazia ameaças, mas entregava-se àquele que julga retamente* (2.23). Os principais sacerdotes e anciãos acusaram Jesus de muitas coisas, mas ele não retrucou (Mt 27.12-14). Sofreu na cruz sem murmurar (Mt 27.34-44). Não invocou a ira de Deu sobre seus perseguidores nem exigiu retaliação, antes orou por seus inimigos: *Pai, perdoa-lhes porque não sabem o que fazem* (Lc 23.43).

Jesus tinha poder para fulminar seus inimigos com apenas um olhar. Poderia despejar sobre seus inimigos toda a injúria que lançavam sobre ele, mas preferiu ir para a cruz como uma ovelha muda. Preferiu rogar ao Pai perdão para seus algozes, inclusive atenuando-lhes a culpa. A reação transcendente de Jesus serve de estímulo para o povo de Deus que está sendo perseguido e ameaçado no mundo. Matthew Henry destaca que a grosseria, a crueldade e a injustiça dos inimigos não justificam que os cristãos injuriem os inimigos e se vinguem deles. As razões para o pecado nunca podem ser grandes demais, pois sempre teremos razões mais fortes para evitá-lo.[196]

Em quarto lugar, *a morte vicária de Cristo. Carregando ele mesmo em seu corpo, sobre o madeiro, os nossos pecados, para que nós, mortos para os pecados, vivamos para a justiça; por suas chagas, fostes sarados* (2.24). Pedro elucida aqui uma das mais importantes doutrinas da graça: a expiação. Cristo não morreu como mártir. Não foi para a cruz porque Judas o traiu nem porque Pedro o negou. Não foi pregado no madeiro porque os sacerdotes o entregaram nem porque Pilatos o sentenciou à morte. Jesus morreu pelos nossos pecados. Nossos pecados estavam sobre ele. Jesus os carregou sobre o madeiro. Matthew Henry enfatiza que Jesus tira os nossos pecados e os remove de nós; da mesma forma que o bode expiatório carregava os pecados do povo sobre a cabeça e então os levava para muito longe (Lv 16.21,22), assim o Cordeiro de Deus carrega os nossos pecados no próprio corpo e com isso tira o pecado do mundo (Jo 1.29).[197]

Warren Wiersbe esclarece que o termo "carregar" significa "carregar como sacrifício".[198] Agora que Cristo morreu pelos nossos pecados, não podemos viver mais para eles. Devemos considerar-nos mortos para o pecado e vivos para Deus. As feridas de Cristo nos trouxeram cura espiritual. A morte de Cristo nos trouxe vida eterna.

Simon Kistemaker destaca três verdades importantes no versículo: 1. *A maneira*. Cristo carregou nossos pecados em seu corpo no madeiro. Essa é a essência da profecia de Isaías 53: *... tomou sobre si as nossas enfermidades...* (Is 53.4a); *... as iniquidades deles levará sobre si* (Is 53.11b) e *... levou sobre si o pecado de muitos* (Is 53.12b). 2. *A importância*. Cristo fez isso para que pudéssemos morrer para o pecado e viver para a justiça. 3. *A consequência*. A palavra "curados" significa "perdoados". Pedro está dizendo que o açoitamento de Jesus antes da crucificação e os ferimentos sofridos na cruz foram o castigo que ele pagou para a redenção dos cristãos.[199]

Em quinto lugar, *o cuidado pastoral de Cristo*. *Porque estáveis desgarrados como ovelhas; agora, porém, vos convertestes ao Pastor e Bispo da vossa alma* (2.25). Pedro usa aqui duas palavras muito ricas para descrever Jesus: Pastor e Bispo. O termo grego *poimen*, traduzido por "Pastor", aponta para o cuidado, a vigilância e o sacrifício do Senhor em nosso favor. Já o termo *episkopos*, traduzido por "Bispo", refere-se à sua supervisão e liderança.

Todo cristão era uma ovelha desgarrada encontrada por Jesus. Todo cristão é pastoreado por Jesus. Pedro chama Jesus por dois preciosos nomes: Pastor e Bispo da nossa alma. Pastor é o que cuida, e Bispo é o que supervisiona. Matthew Henry tem razão em dizer que os pecadores, antes da conversão, estão sempre desviados; sua vida é um erro constante. Jesus, porém, o supremo pastor e o bispo das almas, está sempre presente com o seu rebanho e está sempre vigiando por ele.[200]

Jesus é o Pastor da nossa alma. A igreja é o rebanho pastoreado por Jesus. Na teologia do Antigo Testamento, o ofício de pastor, aquele que cuida do seu rebanho, é utilizado para ilustrar o cuidado de Deus com o povo de Israel (Sl 23.1; 79.13; 80.1). Deus é o Pastor de Israel (Ez 34.15). No Novo Testamento, Jesus se apresenta com o mesmo ofício divino de Pastor: *Eu sou o bom pastor. O bom pastor dá a vida pelas ovelhas* (Jo 10.11). Jesus, o bom Pastor, morreu para salvar as suas ovelhas e constituir o seu rebanho (Jo 10.26-28). Ele guia, protege, alimenta e vai atrás das ovelhas. É o bom Pastor que morreu pelas suas ovelhas (Sl 22), o grande Pastor que vive para suas ovelhas (Sl 23) e o Supremo Pastor que voltará para suas ovelhas (Sl 24).

Jesus é também o Bispo da nossa alma, aquele que cuida e supervisiona as ovelhas. William Barclay comenta que na língua grega esta palavra tem uma longa história com grandes significados, indicando "o protetor da segurança pública, o guardião da honra e da honestidade, o supervisor da correta educação e da moral pública, o administrador da lei e da ordem". Chamar Jesus de Bispo significa reconhecê-lo como nosso Protetor, Supervisor, Guia e Diretor da nossa alma.[201]

Concluímos com as palavras de Warren Wiersbe:

> Nesse capítulo 2, Pedro apresentou muitas imagens admiráveis do crente. Somos crianças que se alimentam com a Palavra; pedras do templo; sacerdotes no altar; geração escolhida; povo comprado; nação santa; povo exclusivo de Deus; forasteiros e peregrinos; discípulos que seguem o exemplo do Senhor; e ovelhas de quem o Pastor cuida. A vida cristã é tão rica e plena que são necessárias essas comparações e muitas outras para mostrar como ela é maravilhosa.[202]

Notas do capítulo 5

164 MUELLER, Ênio R. *I Pedro: Introdução e comentário*, p. 141.
165 WIERSBE, Warren W. *Comentário bíblico expositivo*, p. 520.
166 WIERSBE, Warren W. *Comentário bíblico expositivo*, p. 520.
167 HOLMER, Uwe. *Primeira Carta de Pedro*, p. 182.
168 MUELLER, Ênio R. *I Pedro: Introdução e comentário*, p. 141.
169 KISTEMAKER, Simon. *Epístolas de Pedro e Judas*, p. 131.
170 WIERSBE, Warren W. *Comentário bíblico expositivo*, p. 520.
171 BARCLAY, William. *Santiago, I y II Pedro*, p. 230.
172 WIERSBE, Warren W. *Comentário bíblico expositivo*, p. 521.
173 KISTEMAKER, Simon. *Epístolas de Pedro e Judas*, p. 132.
174 KISTEMAKER, Simon. *Epístolas de Pedro e Judas*, p. 133.
175 HENRY, Matthew. *Comentário bíblico* Atos-Apocalipse, p. 870.
176 MUELLER, Ênio R. *I Pedro: Introdução e comentário*, p. 148.
177 MUELLER, Ênio R. *I Pedro: Introdução e comentário*, p. 148.
178 HENRY, Matthew. *Comentário bíblico Atos-Apocalipse*, p. 870.
179 MUELLER, Ênio R. *I Pedro: Introdução e comentário*, p. 149.
180 KISTEMAKER, Simon. *Epístolas de Pedro e Judas*, p. 136.
181 KISTEMAKER, Simon. *Epístolas de Pedro e Judas*, p. 136.
182 HOLMER, Uwe. *Primeira Carta de Pedro*, p. 187.
183 MUELLER, Ênio R. *I Pedro: Introdução e comentário*, p. 153.
184 KISTEMAKER, Simon. *Epístolas de Pedro e Judas*, p. 139.
185 HOLMER, Uwe. *Primeira Carta de Pedro*, p. 187.
186 BARCLAY, William. *Santiago, I y II Pedro*, p. 238.
187 MUELLER, Ênio R. *I Pedro: Introdução e comentário*, p. 154.
188 HOLMER, Uwe. *Primeira Carta de Pedro*, p. 188.
189 KISTEMAKER, Simon. *Epístolas de Pedro e Judas*, p. 141.
190 KISTEMAKER, Simon. *Epístolas de Pedro e Judas*, p. 144.
191 HOLMER, Uwe. *Primeira Carta de Pedro*, p. 189.
192 WIERSBE, Warren W. *Comentário bíblico expositivo*, p. 524.
193 HENRY, Matthew. *Comentário bíblico* Atos-Apocalipse, p. 871.
194 KISTEMAKER, Simon. *Epístolas de Pedro e Judas*, p. 150.
195 BRUCE, F. F. *NIDNTT*. Vol. 2, p. 291.
196 HENRY, Matthew. *Comentário bíblico* Atos-Apocalipse, p. 871.
197 HENRY, Matthew. *Comentário bíblico* Atos-Apocalipse, p. 871.
198 WIERSBE, Warren W. *Comentário bíblico expositivo*, p. 524.
199 KISTEMAKER, Simon. *Epístolas de Pedro e Judas*, p. 154.
200 HENRY, Matthew. *Comentário bíblico* Atos-Apocalipse, p. 872.
201 BARCLAY, William. *Santiago, I y II Pedro*, p. 249.
202 WIERSBE, Warren W. *Comentário bíblico Wiersbe Novo Testamento*. Santo André: Geográfica, 2009, p. 793.

Capítulo 6

O relacionamento saudável entre marido e mulher
(1Pe 3.1-7)

Após tratar da esfera mais ampla das relações sociais e políticas (2.13-17), tangendo também as relações mais estreitas do trabalho na comunidade doméstica (2.18-20), Pedro chega ao círculo mais íntimo do relacionamento conjugal (3.1-7). Encravado no meio dessa série de exortações, temos o supremo exemplo de Cristo, padrão de conduta para todos os cristãos, especialmente aos que mais sofrem (2.21-25). Esse fato é o fundamento para a ética cristã: não é uma série de regras a serem cumpridas, mas o seguimento de Jesus Cristo, pautando por seu exemplo a nossa conduta.[203]

A família está no centro do palco da história, como um dos temas mais importantes da sociedade. É conhecida a expressão de Alvin Tofler, "a família é o principal problema da sociedade". Por isso, após abordar as relações entre súditos e reis, e entre servos e senhores, Pedro trata agora sobre a relação entre marido e mulher. O relacionamento saudável entre marido e mulher é o cimento que une a família.[204] A ética cristã rege nossos relacionamentos como cidadãos, patrões e empregados e também como cônjuges.

Vamos examinar, à luz do texto mencionado anteriormente, a conduta de marido e esposa no contexto do casamento. Pedro começa com as mulheres e dedica a maior parte do tempo a elas. Isso porque as mulheres enfrentavam mais dificuldades culturais que os homens, especialmente em casamentos mistos. A cultura prevalente (judaica, grega e romana) dava aos homens todos os privilégios e às mulheres todos os deveres. A fé cristã, entretanto, provocou uma verdadeira revolução nesse particular. A mulher não é uma coisa, mas uma pessoa; não é uma escrava, mas uma princesa livre; não é inferior, mas digna de toda honra.

Na cultura do primeiro século, a mulher seguia necessariamente a religião do marido.[205] Se o marido adotava a fé cristã, sua esposa também deveria fazê-lo. E, se a esposa se tornasse cristã, o marido a consideraria infiel a ele e à sua religião pagã. Isso causava tensão dentro do lar.[206] Por isso, Pedro orienta às mulheres recém-convertidas a Cristo a lidar sabiamente com um marido ainda não convertido. Vamos à exposição do texto.

As atitudes da mulher cristã (3.1,2)

A Palavra de Deus normatiza os princípios que devem reger o relacionamento conjugal. Pedro dá diretrizes claras às mulheres cristãs. Destacamos aqui algumas lições.

Em primeiro lugar, *a submissão da esposa ao marido é um mandamento*. *Mulheres, sede vós, igualmente, submissas a vosso próprio marido...* (3.1a). O que Pedro está ensinando não é uma submissão servil, própria de alguém sem caráter, mas um despojamento voluntário do eu.[207] A palavra "submissão" é um termo militar que significa "sob uma hierarquia".[208] Deus estabeleceu na criação vários níveis de autoridade: Deus é o cabeça de Cristo, Cristo é o cabeça de todo homem, e o homem é o cabeça da mulher (1Co 11.3; 1Pe 1.13,14). A ideia de submissão não é de inferioridade, competição ou rivalidade, mas de parceria. A mulher foi criada por Deus para ser auxiliadora idônea, ou seja, aquela que olha nos olhos e corresponde ao homem física, emocional e espiritualmente. O homem e a mulher foram feitos pelo Criador à sua imagem e semelhança. Homem e mulher são um em Cristo Jesus (Gl 3.28).

A submissão da esposa a seu marido é como ao Senhor e por causa do Senhor. Uma vez que a esposa é submissa a Cristo, ela se submete a seu marido. A autoridade do marido sobre a esposa é delegada a ele pelo próprio Deus. Assim, quando uma mulher insurge-se contra a autoridade do seu marido, está opondo-se ao próprio Deus.

Antes de prosseguirmos, precisamos dizer o que submissão não é.

1. *Submissão não é inferioridade*. O apóstolo Paulo deixa isso claro em 1Coríntios 11.3: *Quero, entretanto, que saibais ser Cristo o cabeça de todo homem, e o homem, o cabeça da mulher, e Deus, o cabeça de Cristo*. O Filho tem a mesma substância do Pai. Em nenhum lugar das Escrituras, a Bíblia fala que Jesus Cristo é inferior a Deus Pai. Contudo, na economia da redenção, Cristo submeteu-se ao Pai, sem jamais ser inferior ao Pai. Do mesmo modo, o marido é o

cabeça da mulher; e nem por isso a mulher é inferior ao marido.

2. *Submissão não é subserviência.* A submissão da esposa a seu marido não é cega. Tem limites. A esposa não está obrigada a obedecer ao marido quando este se insurge contra os princípios de Deus. O preceito divino é: ... *Antes, importa obedecer a Deus do que aos homens* (At 5.29b).

3. *Submissão não é* status *de gênero.* Pedro diz que as mulheres devem ser submissas a seu próprio marido, e não a qualquer homem. O gênero feminino não é inferior ao gênero masculino.

Vale a pena ressaltar que esse tem sido um assunto extremamente delicado em nossos dias, por causa de dois extremos.

O primeiro extremo é o *machismo*. John Stott, erudito expositor bíblico, em seu livro *Cristianismo equilibrado*,[209] mostrou os perigos danosos de extremos e polarizações dentro da igreja. Destacou que uma ação sempre provoca uma reação igual e contrária. Precisamos buscar o equilíbrio e, por equilíbrio, não estamos negando que a verdade seja absoluta; ao contrário, estamos opondo-nos às distorções dessa verdade. Uma área onde se vê um claro desequilíbrio hoje é sobre o machismo e o feminismo. Vejamos primeiro sobre o machismo.

Muitos líderes religiosos, brandindo a espada do Espírito, esforçam-se para reduzir a mulher a uma posição inferior àquela que Deus lhe deu. É importante destacar que a mulher foi criada à imagem e semelhança de Deus tanto quanto o homem (Gn 1.27). A mulher possui a mesma dignidade em Cristo que o homem, pois em Cristo não pode haver homem nem mulher (Gl 3.28). Hoje, em nome de Deus, tem-se negado às mulheres o privilégio de orar em público e pregar a Palavra de Deus. Mas o profeta Joel disse que Deus derramaria o seu Espírito sobre toda a carne e, nesse tempo, os filhos e as filhas profetizariam (Jl 2.28). No Pentecostes, essa promessa foi cumprida e, todos os 120 discípulos que estavam no cenáculo foram cheios do Espírito Santo e começaram a falar sobre as grandezas de Deus (At 2.1-4). Entre esses 120 estavam Maria e outras mulheres (At 1.14). Vemos no Novo Testamento que as filhas do diácono Filipe eram profetisas (At 21.8,9) e o dom de profecia é exatamente o dom de anunciar a Palavra de Deus (Rm 12.6; 1Co 14.1-3; 1Pe 4.10,11; 2Tm 3.14-16).

A mesma Bíblia que estabelece a ordenação para os ofícios sagrados apenas para os homens também concede às mulheres o privilégio de pregar a Palavra. A história do cristianismo está repleta de relatos vívidos de santas mulheres que foram missionárias e contribuíram com o avanço do reino de Deus, colocando seus dons à disposição do Senhor para a edificação da igreja. Não podemos amordaçar as mulheres na igreja de Deus e reduzi-las ao silêncio quando Cristo as libertou e também as enviou ao mundo com a mensagem da reconciliação.

Os defensores dessa posição evocam os textos de 1Coríntios 14.34,35 e 1Timóteo 2.11-15 para fundamentarem seu argumento. O contexto, porém, revela que Paulo está proibindo as mulheres de exercerem autoridade sobre o marido.

Não podemos usar esses dois textos para impedir as mulheres de anunciar a Palavra de Deus, contrariando o ensino geral das Escrituras. O profeta Joel deixou claro que as mulheres receberiam o Espírito e profetizariam: *E acontecerá, depois, que derramarei o meu Espírito sobre toda a carne; vossos filhos e vossas filhas profetizarão...*

(Jl 2.28a). No cenáculo, homens e mulheres estavam reunidos em oração aguardando a promessa do Pai. *Todos estes perseveravam unânimes em oração, com as mulheres, com Maria, mãe de Jesus, e com os irmãos dele* (At 1.14). No dia do Pentecostes, o Espírito Santo foi derramado sobre todos que estavam no cenáculo (homens e mulheres), e todos ficaram cheios do Espírito Santo. Vejamos o relato de Lucas: *Todos ficaram cheios do Espírito Santo e passaram a falar em outras línguas, segundo o Espírito lhes concedia que falassem* (At 2.4).

Paulo diz que as mulheres podiam profetizar no culto público: *Toda mulher, porém, que ora ou profetiza com a cabeça sem véu desonra a sua própria cabeça, porque é como se a tivesse rapada* (1Co 11.5). Em 1Coríntios 14.3, o apóstolo define bem o que significa profetizar: "Mas o que profetiza fala aos homens, edificando, exortando e consolando". Paulo é categórico em assegurar que a profecia era a exposição da Palavra: ... *se profecia, seja segundo a proporção da fé* (Rm 12.6b). A fé, aqui, é o conteúdo da verdade (Jd 3). Nesse mesma linha, o apóstolo Pedro diz: *Se alguém fala, fale de acordo com os oráculos de Deus...* (1Pe 4.11a). Para que não fique dúvidas de que a profecia era a pregação da Palavra de Deus, Paulo afirma: *Toda a Escritura é inspirada por Deus e útil para o ensino, para a repreensão, para a correção, para a educação na justiça, a fim de que o homem de Deus seja perfeito e perfeitamente habilitado para toda boa obra* (2Tm 3.16,17). As mulheres podiam profetizar, e profetizar é falar da parte de Deus, expondo as eles as Escrituras.

Muitos estudiosos confundem submissão com subserviência. Há aqueles que, inclusive, defendem que a submissão da esposa ao marido deve ser incondicional, uma vez que é o marido quem deve arcar com as consequências dessa obediência cega da esposa. Para dar legitimidade a seu arrazoado, citam o caso de Abraão que, no Egito, orientou Sara, sua mulher, a mentir, dizendo ser sua irmã e não sua esposa (Gn 12.10-13). Em virtude dessa orientação, Sara foi parar no harém de Faraó (Gn 12.14-18) e tornou-se sua mulher (Gn 12.19). Sara não agiu corretamente quando se tornou cúmplice do erro do seu marido. Deveria ter confrontado Abraão em vez de obedecer cegamente. Tanto Abraão quanto Sara duvidaram da fidelidade de Deus para protegê-los. Preferiram relativizar a ética a confiar em Deus.

Em momento nenhum, as Escrituras nos ensinam a transigir com a verdade em nome da submissão. A submissão do cidadão ao magistrado, do empregado ao patrão, da esposa ao marido e dos filhos aos pais tem limites. É uma falsa interpretação das Escrituras dizer que a mulher deve sujeitar-se ao marido, mesmo quando ele está errado e mesmo quando exige da esposa aquilo que fere sua consciência iluminada pela verdade de Deus. É um mau uso da Bíblia exigir que a mulher peque contra Deus para se sujeitar a seu marido. O princípio bíblico nesses casos é claro: *... Antes, importa obedecer a Deus que aos homens* (At 5.29). É uma distorção da verdade evocar o comportamento infeliz de Abraão e Sara no Egito para justificar a obediência servil da esposa ao marido. Não podemos aceitar essa tendência machista, que distorce a verdade, fere a dignidade da mulher, empalidece o casamento, enfraquece a família e conspira contra a igreja de Deus. Fujamos dos extremos. Eles são uma distorção da verdade e uma caricatura do verdadeiro cristianismo.

O segundo extremo é o *feminismo*. O movimento feminista vem na esteira do liberalismo teológico. Se o machismo retira das Escrituras o que Deus concedeu às mulheres, o feminismo acrescenta o que Deus não outorgou às mulheres. De acordo com R. C. Sproul, desde que o movimento feminista varreu o Ocidente, o machado tem sido colocado na raiz do significado deste texto. Argumentam que a interpretação tradicional do texto tem sido controlada pelo incurável chauvinismo que controla a mente dos eruditos. O movimento feminista quer libertar esse texto daquilo que chamam de tirania do domínio masculino. Argumentam ainda que tanto o ensino de Paulo (Ef 5.22-24) sobre o casamento como estas palavras de Pedro (3.1-6) refletem apenas a cultura da época e por isso não podem ser aplicadas aos nossos dias.[210]

Outro texto distorcido pelo movimento feminista é Gálatas 3.28: *Dessarte, não pode haver judeu nem grego; nem escravo nem liberto; nem homem nem mulher; porque todos vós sois um em Cristo Jesus.* Alega-se que as distinções culturais entre homem e mulher, judeu e grego, e escravo e liberto, foram canceladas em Cristo. Consequentemente, não há mais necessidade das mulheres serem submissas a seu próprio marido. Obviamente, Paulo não ensinou isso. Quando Paulo tratou desse assunto em Gálatas 3.28, tinha a redenção em mente. Em termos de redenção, não há nenhuma diferença entre homem e mulher, judeu e grego, escravo e liberto. Todas essas barreiras foram derrubadas ao pé da cruz. Os homens são justificados pela fé assim como as mulheres o são. Os judeus são justificados pela fé somente assim como os gregos o são. Os patrões são justificados pela fé somente assim como os escravos o são. Esse é o claro ensino de Paulo, confirmado por dois mil anos de interpretação bíblica.[211]

Deus constituiu o homem como cabeça da mulher (1Co 11.3). Isso não é inferioridade; é apenas funcionalidade, uma vez que também Deus é o cabeça de Cristo e Cristo é coigual, coeterno e consubstancial com o Pai (Jo 10.30). A esposa deve ser submissa ao marido como a igreja é submissa a Cristo (Ef 5.22-24), e isso não é desonra, pois quanto mais a igreja obedece a Cristo mais gloriosa ela é. A submissão não é privação de liberdade, pois quanto mais a igreja é sujeita a Cristo mais livre ela se sente. O feminismo é uma linha de pensamento que conspira contra o projeto de Deus e quer ser mais sábio que Deus. Pensando estar em favor da mulher, promove sua ruína. O feminismo fragiliza a mulher, põe a família numa rota de colisão e ainda insurge-se contra Deus.

Em segundo lugar, *a submissão da esposa ao marido é exclusiva. ... submissas a vosso próprio marido...* (3.1a). A mulher não se sujeita a qualquer homem, mas a seu marido. A exclusividade e a fidelidade conjugal são exigidas apenas para os casados. Submissão não é uma questão de inferioridade, mas de funcionalidade. A submissão não é uma questão de gênero. Pedro não ensina que todas as mulheres devem ser submissas a todos os homens. A esposa deve ser submissa a seu marido.

Em terceiro lugar, *a submissão da esposa ao marido é exemplificada. sede vós, igualmente, submissas...* (3.1a). A palavra "igualmente" significa "também" ou "do mesmo modo" e remete ao exemplo de Jesus Cristo (2.21-25). Assim como Jesus foi submisso à vontade de Deus, a esposa deve seguir o seu exemplo. O maior, o mais nobre e o supremo exemplo de submissão é encontrado em Cristo.

Em quarto lugar, *a submissão da esposa ao marido é uma oportunidade. ... para que, se ele ainda não obedece à palavra, seja ganho, sem palavra alguma, por meio do procedimento de sua esposa, ao observar o vosso honesto comportamento cheio de temor* (3.1,2). O apóstolo Pedro (3.1b,2). À semelhança do apóstolo Paulo (1Co 7.13-16), Pedro não aconselha a mulher cristã a abandonar o marido não crente. Também não aconselha a esposa a polemizar com o marido, tentando ganhá-lo para Cristo à força ou mesmo por elaborados arrazoados. Ao contrário, Pedro recomenda um testemunho coerente. Holmer entendeu bem o que Pedro ensina ao escrever: "Copiosas palavras tão somente provocam discordância e endurecimento, sobretudo quando existe um abismo entre palavras devotas e comportamento sem amor e egoísta".[212] William Barclay tem razão em dizer que a pregação silenciosa de uma vida santa derruba as barreiras preconceituosas e hostis daqueles que ainda não são convertidos.[213]

A submissão da esposa ao marido é um testemunho eficaz; fala mais alto que eloquentes discursos. A vida exemplar é melhor que palavras. O mais eficiente método de evangelização dentro de casamento é o testemunho irrepreensível. Warren Wiersbe acrescenta que a expressão "sem palavra alguma" não significa "sem a Palavra de Deus", pois a salvação vem por meio da Palavra (Jo 5.24; 17.20; Rm 10.17). Antes, significa "sem conversa, sem muito falatório". A esposa ganhará o marido para Cristo por meio de sua conduta e de seu caráter; não pela argumentação, mas por atitudes como submissão, compreensão, amor, bondade e paciência.[214]

O verbo grego *epopteuein,* traduzido por "observando", traz a ideia de observar atenta e reflexivamente. Os maridos não crentes "observam" as obras da esposa cristã e por aí podem ser atraídos a Cristo. Já a palavra grega *hagne,* traduzida por "[comportamento] honesto", significa puro, limpo, englobando a fidelidade e a decência, revelando transparência tanto nas motivações como nas ações.

Ênio Mueller conclui que essas vidas transformadas, mesmo caladas, são muito eloquentes no seu testemunho.[215]

A beleza externa da mulher cristã (3.3)

As mulheres do primeiro século não tinham participação na vida pública nem acesso ao trabalho fora do lar. As mulheres ricas gastavam seu tempo em coisas fúteis e muitas delas investiam toda a energia em cuidar da beleza exterior, relegando a uma posição de descaso o cultivo da beleza interior.

Pedro chama a atenção das mulheres cristãs para não imitarem esse modelo. É claro que, com isso, Pedro não está incentivando as cristãs a serem relaxadas com a apresentação pessoal. Deve haver um equilíbrio entre o cultivo da beleza interior e a manifestação graciosa do exterior. A mulher virtuosa de Provérbios 31 tinha bom gosto para se vestir e cuidava bem do corpo, mas entendia que a beleza interior precisa sobrepujar a beleza física, pois essa passará, enquanto aquela permanece para sempre: *Enganosa é a graça, e vã, a formosura, mas a mulher que teme ao Senhor, essa será louvada* (Pv 31.30). As mulheres cristãs precisam adornar sua alma mais que seu corpo, pois os enfeites do corpo são destruídos pela traça e deterioram com o uso; mas a graça de Deus, quanto mais usada, melhor e mais resplandecente se torna.[216]

Pedro orienta as mulheres cristãs sobre o perigo dos excessos. A ênfase não está na proibição, mas no senso adequado de valores.[217] Vejamos sua exortação: *Não seja o adorno da esposa o que é exterior, como frisado de cabelos, adereços de ouro, aparato de vestuário* (3.3). A palavra grega *kosmos*, traduzida aqui por "adornos", significa literalmente "cosmo" (o universo ordenado) em oposição ao caos. A palavra "cosmético" tem sua origem nesse termo. Pedro está orientando as mulheres cristãs a não colocarem toda a atenção nos adereços exteriores, mas a cultivarem a beleza interior.

Pedro oferece três exemplos de adornos externos: cabelo, joias e roupas. O apóstolo estabelece um contraste entre o exterior e o interior. Enquanto penteados, joias e roupas caras existem para serem exibidos, o interior do coração não pode ser visto. Vejamos esses três pontos.

Em primeiro lugar, *o frisado de cabelos* (3.3b). Naquela época as mulheres usavam penteados extravagantes para chamarem a atenção. As mais ricas introduziam em suas tranças joias caras e até pedras preciosas numa evidente ostentação. Com isso, atraíam os olhares dos admiradores. As mulheres romanas gostavam de seguir a última moda e competiam para ver quem tinha as roupas e penteados mais sofisticados.[218]

Em segundo lugar, *os adereços de ouro* (3.3b). A palavra grega *periteseos,* traduzida por "adereços de ouro", é tudo aquilo que uma mulher pode pendurar em seu corpo: colares, brincos e braceletes.[219] O problema destacado por Pedro não é o uso, mas o abuso. Não é a modéstia, mas o excesso.

Em terceiro lugar, *o aparato do vestuário* (3.3b). As mulheres da nobreza costumavam investir quantia enormes em um vestido para ostentarem riqueza, luxo e *glamour* na passarela da moda. Faziam disso a razão da vida. Pedro se coloca contra essa inversão de valores e orienta as mulheres cristãs a serem modestas e decentes quanto ao vestuário.

A beleza interna da mulher cristã (3.4-6)

Pedro faz um contraste entre o que o homem vê e o que Deus vê, entre o superficial e o essencial, entre a beleza exterior e a beleza interior. Depois de orientar a mulher cristã a não fazer da beleza exterior seu alvo principal, dá diretrizes acerca de como buscar a beleza interior. Destacaremos aqui alguns pontos.

Em primeiro lugar, *a mulher cristã deve cuidar mais do coração que da aparência. Seja, porém, o homem interior do coração, unido ao incorruptível trajo...* (3.4a). Em vez de buscar apenas a beleza externa com penteados rebuscados, joias caras e roupas requintadas, a mulher cristã deve zelar pelo seu coração. Em vez de apenas tomar um banho de loja, a mulher cristã deve ser lavada e adornada pela Palavra. Em vez de valorizar apenas o que perece, a mulher cristã deve priorizar o trajo incorruptível de um espírito manso e tranquilo.

Em segundo lugar, *a mulher cristã deve cuidar mais daquilo que tem valor diante de Deus que daquilo que é valorizado pelos homens. ... de um espírito manso e tranquilo, que é de grande valor diante de Deus* (3.4b). A mulher cristã está interessada em agradar mais a Deus que aos homens. Porém, ao agradar a Deus, torna-se uma bênção para o marido. Um espírito manso e tranquilo é melhor que vestes caras, joias raras e penteados rebuscados. O que se não vê tem mais valor que aquilo que se vê. Uma mulher equilibrada emocionalmente, que faz bem a seu marido todos os dias, é mais feliz e faz seu marido mais feliz que uma mulher ranzinza empetecada de ouro. É melhor morar num deserto que viver com uma mulher rixosa. Os adereços exteriores jamais podem segurar um casamento. Coisas não fazem cônjuges felizes. Concordo com Ênio Mueller quando ele diz que "a beleza interior de uma mulher tem muito mais valor que todas as joias, vestidos e maquilagem que ela possa ter".[220]

Em terceiro lugar, *a mulher cristã deve seguir o exemplo das santas mulheres do passado em vez de copiar o modelo de mulheres fúteis. Pois foi assim também que a si mesmas se ataviaram, outrora, as santas mulheres que esperavam em Deus, estando submissas a seu próprio marido, como fazia Sara, que obedeceu a Abraão, chamando-lhe senhor, da qual vós vos tornastes filhas, praticando o bem e não temendo perturbação alguma* (3.5,6). As santas mulheres do passado, embora não fossem pessoas perfeitas, deixaram um importante legado e um exemplo digno de ser imitado. Em vez de copiar o modelo da beleza do mundo, a mulher cristã deve ataviar-se como as santas mulheres do passado. Quais eram as marcas dessas santas? Primeiro, elas *esperavam em Deus* (3.5). Tinham fé em Deus e confiavam no seu caráter e em suas promessas. Sabiam que Deus jamais as abandonaria, independentemente das circunstâncias. Segundo, eram *submissas a seu próprio marido* (3.5). A esposa que compreende seu papel de submissão, de acordo com as normas das Escrituras, encontra realização completa no marido.[221] Terceiro, elas seguiam *praticando o bem* (3.6). Quarto, seguiam *não temendo perturbação alguma* (3.6), ou seja, triunfavam sobre o medo. Segundo Matthew Henry, essas santas mulheres tinham menos conhecimento e menos exemplos que a encorajassem, mas em todas as épocas praticaram esse dever. Por isso, seu exemplo é obrigatório.[222]

As atitudes do marido cristão (3.7)

A ética cristã é recíproca no governo, no trabalho e na família. Não há dois pesos e duas medidas quanto trata do papel do governo e do cidadão, do patrão e do empregado, do marido e da mulher, dos pais e dos filhos.

Há um equilíbrio entre privilégios e responsabilidades, entre direitos e deveres (Ef 5.22-6.1-9).

A submissão da esposa não dá ao marido o direito de ser rude ou déspota. O uso do termo "igualmente", direcionado de semelhante forma aos maridos, revela que, longe de a submissão da esposa ser uma plataforma confortável que lhe permite explorar a mulher, é um campo de serviço. Cristo, como Senhor da igreja, a serviu. Como cabeça da igreja, morreu por ela. Concordo com R. C. Sproul quando ele diz que é mais fácil uma mulher ser submissa a Cristo que o marido amar sua esposa como Cristo ama a igreja. Não há egoísmo no amor de Cristo pela igreja. Jesus jamais abusou, tiranizou, explorou ou envergonhou a sua noiva. O marido que espera a submissão da mulher deve estar pronto a dar sua vida por ela. Esse é o padrão de Deus. Porém, a Bíblia não diz ao marido para amar sua mulher apenas quando ela é submissa, nem diz à mulher para submeter-se ao marido apenas quando ele a ama como Cristo ama a igreja. Os maridos são orientados a amarem a esposa sendo ela submissa ou não. As mulheres são orientadas a se submeterem ao marido sendo ele amoroso ou não. O marido precisa estar preparado para dar a vida pela mulher, e a mulher precisa estar pronta para submeter-se ao marido.[223]

Pedro destaca quatro cuidados que o marido deve ter para com a esposa. Warren Wiersbe fala sobre quatro áreas de responsabilidade do marido no relacionamento conjugal.[224] Vejamos.

Em primeiro lugar, *o aspecto físico. Maridos, vós, igualmente vivei a vida comum do lar...* (3.7). A expressão "vivei a vida comum do lar" é a tradução do termo grego *synoikuntes,* que significa "vivendo juntos na mesma casa" como marido e mulher.[225] Matthew Henry entende que essa palavra significa coabitação, que proíbe separações desnecessárias e implica mútua comunhão de bens e pessoas, com prazer e harmonia.[226] Embora tenha uma abrangência maior, o relacionamento conjugal passa pela intimidade física. O casamento é, fundamentalmente, um relacionamento físico. *... e se tornarão os dois uma só carne* (Ef 5.31; Gn 2.24). A primeira responsabilidade do marido é cuidar da esposa e do lar (Tt 2.4,5). Cabe-lhe a responsabilidade principal de ser o provedor (1Tm 5.8).

Em segundo lugar, *o aspecto intelectual. ... com discernimento...* (3.7a). O discernimento é fruto do conhecimento. Homem e mulher são dois universos distintos. Têm profundas diferenças físicas e emocionais. Essas diferenças, porém, complementam a relação. O marido cristão precisa conhecer as variações de humor, sentimentos, medos e esperanças da esposa. Precisa "ouvir com o coração" e falar a verdade em amor . Muitos homens que conhecem pouco as peculiares femininas. Tratam a mulher como se estivessem lidando com outro homem. Faltam-lhes conhecimento e tato.

Em terceiro lugar, *o aspecto emocional. ... tendo consideração para com a vossa mulher como parte mais frágil...* (3.7b). O marido precisa tratar a mulher com cavalheirismo. Precisa ser romântico, carinhoso e amável no trato. Deve dirigir-se constantemente a ela, dizendo: *Muitas mulheres procedem virtuosamente, mas tu a todas sobrepujas* (Pv 31.29). Nada fere mais uma mulher que um marido casca-grossa e rude no trato. É óbvio que Pedro não está dizendo que a mulher é a parte mais frágil em termos mentais, morais ou espirituais, mas sim em termos físicos. A mulher é mais sensível na alma e mais frágil na força física. Dessa forma, como o mais forte dos dois parceiros no casamento, o marido deve carregar os fardos mais pesados, proteger a esposa e suprir suas necessidades. O marido deve tratar a esposa como um vaso caro, belo e frágil, que contém um tesouro precioso.[227] A expressão "ter consideração" significa que o marido respeita os sentimentos, os desejos e a maneira de pensar da esposa.

Em quarto lugar, *o aspecto espiritual. ... tratai com dignidade, porque sois, juntamente, herdeiros da mesma graça de vida, para que não se interrompam as vossas orações* (3.7c). William Barclay informa que as mulheres não participavam dos cultos gregos e romanos. Até mesmo às sinagogas judias as mulheres não tinham acesso. No cristianismo, porém, as mulheres têm iguais direitos espirituais.[228] E não apenas isso, mas a vida espiritual do marido está diretamente relacionada à forma com que ele trata sua mulher. Concordo com Holmer quando ele diz: "Quando cessam as orações ou quando são tão tolhidas que se resumem a mera formalidade, a vida espiritual e também o matrimônio correm perigo".[229]

O que Pedro está dizendo é que, se o marido falhar em amar, honrar e respeitar sua mulher, tal comportamento interromperá suas orações, pois "os suspiros da mulher maltratada se interpõem entre as orações do esposo e os ouvidos de Deus".[230] Concordo com o que diz Kistemaker: "Deus não aceita as orações que marido e mulher oferecem num ambiente de luta, briga e discórdia. Ele quer que se reconciliem, para que possam orar juntos em paz e harmonia e, assim, gozar as incontáveis bênçãos divinas".[231] Concluo com o conselho de Matthew Henry: "Todos os casados devem se empenhar em se comportar de forma tão amável e pacífica um com o outro que não atrapalhem, com suas brigas, as suas orações".[232]

Notas do capítulo 6

203 MUELLER, Ênio R. *I Pedro: Introdução e comentário*, p. 172.
204 1Coríntios 7; 11.3-16; 14.33b-35; Efésios 5.22-33; Colossenses 3.18,19; 1Timóteo 2.9-15; Tito 2.3-5.
205 MUELLER, Ênio. R. *I Pedro: Introdução e comentário*, p. 174.
206 KISTEMAKER, Simon. *Epístolas de Pedro e Judas,* p. 162.
207 BARCLAY, William. *Santiago, I y II Pedro*, p. 251.
208 WIERSBE, Warren W. *Comentário bíblico expositivo*, p. 527.
209 Rio de Janeiro: CPAD, 1982.
210 SPROUL, R. C. *1-2 Peter.* Wheaton, IL: Crossway, 2011, p. 90.
211 SPROUL, R. C. *1-2 Peter*, p. 92.
212 HOLMER, Uwe. *Primeira Carta de Pedro*, p. 197.
213 BARCLAY, William. *Santiago, I y II Pedro*, p. 251.
214 WIERSBE, Warren W. *Comentário bíblico expositivo*, p. 527.
215 MUELLER, Ênio R. *I Pedro: Introdução e comentário*, p. 175.
216 HENRY, Matthew. *Comentário bíblico* Atos-Apocalipse, p. 872,873.
217 KISTEMAKER, Simon. *Epístolas de Pedro e Judas,* p. 165.
218 WIERSBE, Warren W. *Comentário bíblico expositivo*, p. 528.
219 MUELLER, Ênio R. *I Pedro: Introdução e comentário*, p. 176.
220 MUELLER, Ênio R. *I Pedro: Introdução e comentário*, p. 177.
221 KISTEMAKER, Simon. *Epístolas de Pedro e Judas,* p. 171.
222 HENRY, Matthew. *Comentário bíblico Atos-Apocalipse,* p. 873.
223 SPROUL, R. C. *1-2 Peter*, p. 95.
224 WIERSBE, Warren W. *Comentário bíblico expositivo*, p. 529,530.
225 MUELLER, Ênio R. *I Pedro: Introdução e comentário*, p. 181.
226 HENRY, Matthew. *Comentário bíblico Atos-Apocalipse,* p. 873.
227 WIERSBE, Warren W. *Comentário bíblico expositivo*, p. 529.
228 BARCLAY, William. *Santiago, I y II Pedro*, p. 256.
229 HOLMER, Uwe. *Primeira Carta de Pedro*, p. 201.
230 BARCLAY, William. *Santiago, I y II Pedro*, p. 256.
231 KISTEMAKER, Simon. *Epístolas de Pedro e Judas,* p. 172.
232 HENRY, Matthew. *Comentário bíblico Atos-Apocalipse,* p. 873.

Capítulo 7

A vida vitoriosa do cristão
(1Pe 3.8-22)

O APÓSTOLO DEIXA DE FALAR a grupos específicos dentro da igreja para falar a todo o povo. Está concluindo seu assunto. Apresenta-nos os princípios para uma vida vitoriosa, tanto diante dos homens como diante de Deus. Conforme diz Warren Wiersbe, podemos experimentar as melhores bênçãos nos piores momentos.[233] Vamos destacar alguns pontos importantes na exposição desta passagem.

Nossos relacionamentos (3.8-12)

Pedro estava falando sobre relacionamentos entre governantes e governados, patrões e empregados, e maridos e esposas. Agora, fecha o assunto mostrando princípios gerais que devem governar o relacionamento relação com nossos irmãos.

Em primeiro lugar, *o relacionamento com os irmãos* (3.8). A verticalidade da nossa fé desemboca na horizontalidade dos nossos relacionamentos. A prova de nosso amor a Deus é nosso amor aos irmãos. Pedro destaca alguns aspectos desse relacionamento fraternal.

A unidade de pensamento. Finalmente, sede de igual ânimo... (3.8). A palavra "finalmente" aqui não significa que Pedro está concluindo sua epístola. Até agora, ele falou a várias classes de indivíduos, como servos, esposas e maridos. Agora, chegando ao clímax de seu argumento, dirige a palavra a todos os cristãos.[234] Portanto, a palavra "finalmente" neste ponto tem o sentido de "em resumo". Assim como a Lei toda se resume ao amor (Rm 13.8-10), também os relacionamentos humanos, como um todo, se cumprem no amor.[235] A palavra grega *homofrones* só aparece aqui em todo o Novo Testamento. A ideia básica é de "unanimidade" (At 4.32; Fp 2.2).[236] A unidade da igreja não é sinônimo de uniformidade, mas de cooperação em meio à diversidade. Concordo com a percepção de Warren Wiersbe: "Os cristãos podem discordar quanto à *forma* de certas coisas, mas devem concordar quanto ao *conteúdo* e à *motivação.*[237] Somos um corpo com diferentes membros. Não competimos uns com os outros; cooperamos mutuamente. Entre os membros da igreja de Deus não deve existir partidarismo nem vanglória. Em vez de pensar apenas no que é propriamente seu, cada irmão deve pensar no que é do outro, em como honrá-lo.

É bastante provável que dentro de uma igreja não haja dois cristãos que pensem exatamente igual acerca de todas as coisas. A respeito de que unidade, então, Pedro está falando? Certamente o que Pedro está dizendo é que, com respeito a Cristo e sua obra, devemos ter a mesma convicção. Essa convicção nos é dada pela Palavra de Deus.

Kistemaker capta bem o entendimento do texto, quando escreve:

> Tendo em vista a variedade de dons e talentos que Deus deu ao seu povo, existem as diferenças de opinião. Pedro, porém, quer que os cristãos sejam governados pela mente de Cristo, de modo que as diferenças não dividam, mas enriqueçam a igreja. Assim, ele exorta os crentes a "viver em harmonia".[238]

Jesus orou pela unidade da igreja (Jo 17.21-23). Sua oração foi atendida, pois todos os que creram tinham um só coração e uma só alma (At 4.32). Paulo diz que embora sejamos muitos membros, temos um só corpo (Rm 12.4). O mesmo apóstolo exortou os coríntios a terem uma só mente (1Co 1.10). Na verdade, em Cristo Jesus, as paredes divisórias são demolidas e tanto judeus como gregos são um (Ef 2.13,14). Os cristãos devem manter a unidade do Espírito no vínculo da paz (Ef 4.3-6). Poderíamos sintetizar esse ponto com a conhecida expressão: "Nas coisas fundamentais, unidade; nas coisas não essenciais, liberdade; e em todas as coisas, caridade".

A compaixão. ... compadecidos... (3.8). Compaixão é ver a vida com os olhos do outro e sentir as dores do outro latejando debaixo de sua própria pele. É mais que estar do lado; é estar dentro. A Palavra de Deus ensina a nos alegrarmos com os que se alegram e a chorarmos com os que choram (Rm 12.15). Diz ainda: *De maneira que, se um membro sofre, todos sofrem com ele; e, se um deles é honrado, com ele todos se regozijam* (1Co 12.26).

O amor fraternal. ... fraternalmente amigos (3.8). A expressão "fraternalmente amigos" no grego é uma palavra só, *philadelphoi,* que significa "amor entre irmãos".[239] O amor entre os membros da igreja deve ser o mesmo amor que existe entre os irmãos de sangue. Amamos nossos irmãos não por causa de suas virtudes, mas apesar de suas fraquezas. Não os amamos por causa de seus méritos, mas apesar de seus deméritos. A figura mais vívida da igreja que temos nas Escrituras é a da família. Todos temos Deus como nosso Pai, e Jesus como nosso irmão mais velho. Por isso, somos todos irmãos uns dos outros. William MacDonald, diz corretamente que o verdadeiro amor não se origina necessariamente das emoções, mas da vontade; não consiste naquilo que sentimos, mas naquilo que fazemos; não se prova pelo sentimento, mas pela ação; não se mostra por palavras doces, mas por ações nobres e obras abnegadas.[240]

A misericórdia. ... misericordiosos... (3.8). Misericórdia é inclinar o coração diante da miséria de outra pessoa, mesmo quando ela é desprovida de qualquer merecimento. Jesus tratou os publicanos e pecadores com gentileza. Não esmagou a cana quebrada nem apagou a torcida que fumega. Tocou os leprosos, abraçou as crianças, comeu com os pecadores. Não há cristianismo onde não existe misericórdia.

A humildade. ... humildes (3.8). Humildade é descer do pódio da vaidade e honrar o irmão, considerando-o superior a si mesmo. Humildade não é ser pequeno, mas considerar-se como tal. O apóstolo Paulo escreve: *que não pense de si mesmo além do que convém* (Rm 12.3). Os símbolos da humildade são a toalha e a bacia. Há um ditado popular que diz: "Lata vazia faz barulho". Um restolho chocho jamais se dobra, mas a espiga prenhe de grãos se curva. No reino de Deus a pirâmide está invertida. Ser grande é ser pequeno. Ser o maior é ser servo de todos. A humildade é o portal da honra.

Em segundo lugar, *o relacionamento com os inimigos* (3.9).

A reação transcendental. Não pagando mal por mal ou injúria por injúria; antes, pelo contrário, bendizendo... (3.9a). Os cristãos dispersos da Ásia Menor estavam sendo perseguidos e espoliados. Seus inimigos falavam mal deles e lhes faziam mal. Em vez de pagarem na mesma moeda, os cristãos deveriam pagar o mal com o bem; em vez de responder as afrontas com injúria, deveriam abençoar seus inimigos e bendizer a Deus pelo sofrimento. Os apóstolos ouviram de Jesus: *Amai os vossos inimigos e orai pelos que vos perseguem* (Mt 5.44b). Paulo já havia ensinado: *Não torneis a ninguém mal por mal* (Rm 12.17a) e dado seu testemunho: *... Quando somos injuriados, bendizemos...* (1Co 4.12b). Retribuir o bem com o mal é perversidade; retribuir o bem com o bem ou o mal com o mal é justiça; mas retribuir o mal com o bem é graça.

A bênção celestial. ... pois para isto mesmo fostes chamados, a fim de receberdes bênção por herança (3.9b). O sofrimento faz parte da vida do cristão, que foi chamado para enfrentá-lo. Aqueles que sofrem por causa da justiça recebem como herança bênçãos celestiais. Kistemaker diz acertadamente que o cristão não trabalha para ganhar as bênçãos; ele as recebe por herança.[241] Nessa mesma linha de pensamento, Ernest Best acrescenta que nunca se trabalha para receber uma herança. Trata-se de um presente. A herança que o autor tem em mente é a salvação, a salvação eterna, e não o gozo dessa salvação no presente.[242] Warren Wiersbe conclui afirmando que as perseguições que sofremos na terra hoje enriquecem a bendita herança de glória que desfrutaremos um dia no céu (Mt 5.10-12).[243]

Em terceiro lugar, *nossa postura diante da vida. Pois quem quer amar a vida e ver dias felizes refreie a língua do mal e evite que os seus lábios falem dolosamente; aparte-se do mal, pratique o que é bom, busque a paz e empenhe-se por alcançá-la* (3.10,11). Embora o cristão tenha os olhos fitos no céu, não vive de forma alienada na terra. Embora enfrente com galhardia o sofrimento, não aprecia sofrer nem aborrece a vida. Ele ama a vida e deseja viver feliz, pois a vida é um dom de Deus, e os dias felizes, uma expressão da sua bondade. O fato de lidar com o sofrimento não impede o cristão de ser feliz. O cristianismo é a religião da felicidade. O nosso problema não é buscar a felicidade, mas contentar-nos com uma felicidade pequena demais, terrena demais, quando Deus nos salvou para a maior de todas as felicidades: a felicidade de amá-lo, glorificá-lo e fruí-lo. É na presença de Deus que encontramos a plenitude de Deus. É na destra de Deus que encontramos delícias perpétuas (Sl 16.11). Jesus veio para nos dar vida, e vida em abundância (Jo 10.10). Mueller, nessa mesma linha de pensamento, escreve:

> A vida é dom de Deus, por isso deve ser amada. Isto não significa colocá-la acima do próprio Deus. Todo tipo de sofrimento imposto a outros, que os impeça de desfrutar a vida, é intrinsecamente mau. Assim, os cristãos não devem aspirar de forma masoquista o sofrimento. Devemos aspirar por dias felizes, sendo que o louvor que neles se eleva não é menos santo do que o louvor do sofrimento.[244]

Pedro nos oferece quatro conselhos para experimentarmos a verdadeira felicidade. Os dois primeiros são negativos, ou seja, aquilo que precisamos evitar, o terceiro é uma ordenança negativa e uma e uma positiva, e o último é positivo, ou seja, aquilo que precisamos fazer.

1. *Refreia a língua do mal.* Uma língua carregada de maldade é um azorrague que traz sofrimento. Uma língua maldosa fere como espada, destrói como fogo e mata como veneno. Não apenas as palavras, mas também os atos de um cristão devem evitar até mesmo a aparência do mal (1Ts 5.22). Precisamos clamar como o salmista: *Põe guarda, SENHOR, à minha boca; vigia a porta dos meus lábios* (Sl 141.3).

2. *Não fale com dolo.* Falar dolosamente é esconder atrás das palavras macias uma intenção implacável. É dizer uma coisa e sentir outra. É bajular com a língua na frente e depois apunhalar traiçoeiramente pelas costas. O mal específico que Pedro tem em vista aqui é o engano. Satanás é o pai da mentira (Jo 8.44). Não há verdade nele. O cristão vive na luz e anda na verdade. Sua língua, longe de ser um instrumento de maldade e engano, deve ser uma fonte que traz glória ao nome de Cristo e edificação para os irmãos.

3. *Aparte-se do mal e pratique o bem.* Ninguém pode ser feliz no território da maldade. Onde a maldade habita, a felicidade arruma as malas e vai embora. Uma pessoa é verdadeiramente feliz quando se dedica à prática do bem.

4. *Busque a paz.* A paz não é automática; precisa ser buscada. Precisamos empenhar-nos até alcançá-la. A Palavra de Deus nos exorta, repetidamente, a vivermos em paz com todos (Rm 12.18; 14.19; 2Co 13.11; 1Ts 5.13; 2Tm 2.22; Hb 12.14). Foi o próprio Jesus quem proferiu a bem-aventurança: *Bem-aventurados os pacificadores, porque serão chamados filhos de Deus* (Mt 5.9). Obviamente, essa paz não equivale a acomodação e conivência com o erro. Não é paz a qualquer preço. Os falsos profetas diziam para

o povo "Paz, paz" apenas para anestesiá-los em seus pecados (Jr 6.14). O mundo fala em paz, mas investe mais na guerra. As nações firmam tratados de paz, mas se rebelam contra o Príncipe da Paz.

Em quarto lugar, *nossa vida de oração. Porque os olhos do Senhor repousam sobre os justos, e os seus ouvidos estão abertos às suas súplicas, mas o rosto do Senhor está contra aqueles que praticam males* (3.12). Uma igreja perseguida precisa entender que Deus está atento às suas orações. Deus vê e ouve. Nossa causa não passa despercebida aos olhos daquele que a todos sonda. Aqueles, porém, que se entregam à prática da maldade terão de enfrentar a ira do Todo-poderoso. Kistemaker diz com razão que o contraste aqui é claro, pois Deus vê as obras do povo justo e vê aqueles que praticam o mal. Nada escapa de suas vistas. E que ninguém pense que Deus não se importa. Aqueles que se deleitam em fazer o mal não têm em Deus um amigo, mas um adversário.[245] Uma boa ilustração para este versículo se encontra em Atos 12. Pedro estava preso e Herodes se assentava garbosamente no trono. A igreja orava por Pedro e Herodes aguardava o fim da festa da Páscoa para matar Pedro. O anjo de Deus foi enviado para libertar Pedro e ferir mortalmente Herodes. Os olhos de Deus repousavam sobre Pedro e seus ouvidos estavam abertos às súplicas da igreja, mas o rosto de Deus estava contra Herodes.

Nossos sofrimentos (3.13-17)

Em primeiro lugar, *a prevenção contra o sofrimento. Ora, quem é que vos há de maltratar, se fordes zelosos do que é bom?* (3.13). Em situação normal, ninguém é maltratado por praticar o bem. As autoridades são ministros de Deus para promover o bem e coibir o mal (Rm 13.4). Quando alguém age com integridade deve receber os louvores da autoridade. A palavra "zelosos" tem a mesma raiz de "zelotes", extremistas políticos que se rebelavam contra o poder romano. Pedro, porém, não está exortando os leitores a se tornarem extremistas políticos, mas a investirem sua energia fazendo o bem.[246] De acordo com William Barclay, o que Pedro está dizendo é que devemos amar o bem com mesma paixão com a qual o fanático patriota ama seu país.[247]

Em segundo lugar, *a alegria no sofrimento. Mas, ainda que venhais a sofrer por causa da justiça, bem-aventurados sois. Não vos amedronteis, portanto, com as suas ameaças, nem fiqueis alarmados* (3.14). No tempo de Pedro, os cristãos começaram a sofrer por causa da justiça. Os pagãos falavam mal deles. Seus bens eram confiscados. Eles foram dispersos e perambularam pela terra como peregrinos e forasteiros. Mesmo passando por esse fogo ardente, os cristãos deveriam exultar, pois eram bem-aventurados. No passado, o mesmo havia acontecido com os profetas de Deus (Mt 5.12). Jesus foi categórico em afirmar: *Bem-aventurados os perseguidos por causa da justiça, porque deles é reino dos céus* (Mt 5.10). Quando fazemos o bem e recebemos o mal em troca, Deus nos fortalece, nos consola e nos alegra. Um garoto de 12 anos, durante a Segunda Guerra Mundial, recusou juntar-se a certo movimento na Europa. Os carrascos perguntaram-lhe: "Você não sabe que temos poder para lhe matar?". O jovem respondeu: "E vocês não sabem que eu tenho o poder de morrer por Jesus?". Quando Policarpo foi preso em Esmirna por causa de sua fé, o procônsul romano prometeu soltar-lhe se ele negasse sua fé e blasfemasse contra Cristo. Policarpo respondeu: "Há 86 anos tenho servido a Cristo e ele jamais me desamparou. Como posso agora blasfemar contra o meu Rei e Salvador?". De fato, bem-aventurados são os perseguidos por causa da justiça, porque, embora tombem na terra como mártires, levantam-se no céu como príncipes.

Mueller coloca essa questão de forma clara:

> As bem-aventuranças que Jesus anunciou, e que Pedro está citando, revelam um novo conceito de "felicidade". Aqui, são os infelizes deste mundo que são "felizes", aqueles que anseiam por "dias bons", como vimos (3.10), mas que na sua luta pela paz (3.11) e pela justiça (2.24), não obtêm os que buscam, mas só a perseguição e o sofrimento.[248]

Nem sempre Deus nos livra do sofrimento, mas sempre nos capacita e nos instrumentaliza quando passamos pelo sofrimento. Não estamos dizendo com isso que o sofrimento é essencialmente bom ou que as circunstâncias que nos atingem, em si mesmas, são boas. O que estamos afirmando é que Deus transforma as circunstâncias doloridas da vida em ferramentas para o nosso bem. Do meio das lágrimas da dor brota a alegria de ver Deus glorificado em nossas experiências. Foi assim com José no Egito. Seus irmãos intentaram o mal contra ele, mas Deus o transformou em bênção (Gn 50.20).

Em terceiro lugar, *a oportunidade do sofrimento. Antes, santificai a Cristo, como Senhor, em vosso coração, estando sempre preparados para responder a todo aquele que vos pedir razão da esperança que há em vós* (3.15). A injustiça e o sofrimento não devem levar-nos à revolta e à murmuração, mas ao testemunho. O sofrimento é uma oportunidade para a defesa da fé cristã. Os cristãos não devem temer a seus inimigos, mas a Deus, submetendo-se ao senhorio de Cristo e dando explicações consistentes e eloquentes de sua fé. Santificar a Cristo é honrá-lo como Senhor, reconhecendo seu senhorio sobre o mundo e sobre as circunstâncias da vida, inclusive a perseguição e o sofrimento.[249]

Pedro adaptou essa citação de Isaías 8.13a, que diz: *Ao SENHOR dos Exércitos, a ele santificai*. Em sua época, Isaías instruiu o povo a não temer os exércitos invasores assírios, mas adorar a Deus. Em sua epístola, Pedro traz a mesma mensagem de encorajamento. Muda, porém, as palavras, ao honrar a Cristo como Senhor Todo-poderoso no coração.[250]

O sofrimento produzido pela perseguição é uma porta aberta para o testemunho cristão. Os cristãos devem estar preparados. E não apenas dispostos, mas também habilitados para falar sobre Cristo. Precisamos conhecer a verdade para sermos obreiros aprovados. Devemos demonstrar habilidade de responder a todos que nos perguntam sobre nossa fé em Cristo (Cl 4.6).[251]

A disciplina da apologética cristã encontra sua clássica e bíblica fundamentação neste versículo. A palavra grega *apologia* é aqui traduzida como "responder". O papel da apologética é prover uma defesa intelectual da verdade proclamada pelo cristianismo. Quando consagramos num ato de devoção nosso coração ao senhorio de Cristo, ficamos preparados para dar uma explicação inteligente da nossa fé. Mente e coração, razão e sentimento caminham juntos nessa defesa da fé cristã.

Em quarto lugar, *a postura diante do sofrimento. Fazendo-o, todavia, com mansidão e temor, com boa consciência, de modo que, naquilo em que falam contra vós outros, fiquem envergonhados os que difamam o vosso bom procedimento em Cristo* (3.16). Há uma postura adequada a esse testemunho. Numa situação de ansiedade e animosidade, palavras podem ser ditas de uma forma que dissipe a eficácia que poderiam ter. O cristão perseguido e preocupado com a sua vida e a vida de sua família, ou com seu patrimônio, facilmente pode deixar de dar testemunho ou então fazê-lo de forma indevida.[252] A apologética cristã jamais pode ser feita num ambiente de soberba e arrogância. Os cristãos devem dar razão da sua esperança com conhecimento, mansidão, reverência e piedade, pois o propósito não é ganhar uma discussão, mas ganhar uma alma. Somos testemunhas, e não advogados de acusação. E mais: nessa defesa da verdade, devemos ter boa consciência. A consciência é o árbitro interior que nos aprova ou nos censura. Uma "boa consciência" nos acusa quando pensamos ou fazemos algo errado, e nos aprova quando fazemos algo certo. A vida do cristão precisa ser coerente. Ele não pode dizer uma coisa e fazer outra. Não pode demonstrar uma santidade em público e viver no pecado em secreto. Sua vida deve ser o avalista de suas palavras.

Em quinto lugar, *o propósito do sofrimento. Porque, se for da vontade de Deus, é melhor que sofrais por praticardes o que é bom do que praticando o mal* (3.17). Nem sempre Deus nos livra do sofrimento e da injustiça humana. Porém, quando nos permite passar por essas circunstâncias, é porque tem um propósito elevado: amadurecer-nos e promover sua própria glória. Kistemaker diz que o cristão que sofre injustamente enquanto faz boas obras sabe que Deus está no controle e que a providência divina guiará sua vida até o seu destino final.[253] O próprio Pedro escreve: *Mas, se sofrer como cristão, não se envergonhe disso; antes, glorifique a Deus com esse nome* (4.16).

O sofrimento de Cristo (3.18a)

Pedro faz uma transição do sofrimento do cristão para o sofrimento vicário de Cristo. O sofrimento de Cristo é singular. Não tem paralelo, uma vez que ele sofreu e morreu vicariamente, como nosso representante e substituto. William Barclay destaca acertadamente que, quando o cristão se vê obrigado a sofrer cruel e injustamente por causa de sua fé, só está percorrendo o mesmo caminho que seu Senhor e Salvador percorreu.[254]

Com respeito à morte vicária de Cristo, destacamos três pontos importantes.

Em primeiro lugar, *a sua eficácia. Pois também Cristo morreu, uma única vez, pelos pecados...* (3.18a). Cristo é mais uma vez nosso exemplo. Foi nosso exemplo na submissão e agora é nosso exemplo no sofrimento. O sofrimento de Cristo, porém, é único e sem paralelos. O sofrimento de Cristo é vicário. Ele se humilhou até a morte, e morte de cruz. No entanto, sua morte não foi um acidente, mas uma agenda. Sua morte não foi uma derrota, mas a maior de todas as vitórias. Sua morte fez cessar todos os sacrifícios judaicos. Os sacrifícios sacerdotais no templo tinham de ser repetidos diariamente, mas Cristo fez o sacrifício perfeito e definitivo ao oferecer-se a si mesmo (Hb 7.27). Cristo morreu como o Cordeiro de Deus que tira o pecado do mundo. Paulo diz que Cristo morreu pelos nossos pecados segundo as Escrituras (1Co 15.3). Pela morte na cruz, ele cancelou o escrito de dívida que era contra nós e despojou os principados e potestades (Cl 2.14,15). Sua morte foi única e irrepetível. Jesus sofreu pelos pecados de seu povo de uma vez por todas (Hb 7.27; 9.26,28; 10.10,14). Ele é a propiciação pelos nossos pecados (1Jo 2.2). Seu sacrifício foi perfeito e cabal. Segundo R. C. Sproul: "Desde que Deus requer a punição pelo pecado, ele recebeu satisfação não de nós, que somos injustos, mas de Cristo, o justo, a fim de que ele pudesse ser justo e justificador" (Rm 3.26).[255]

Em segundo lugar, *a sua forma. ... o justo pelos injustos...* (3.18b). Mueller observa que estamos aqui numa situação em que toda a humanidade, sem exceção, está colocada de um lado, e Cristo está posto sozinho, do outro.[256] Cristo, que é justo, tomou sobre si os pecados do povo injusto. Cristo sofreu não pelos justos, mas pelos injustos. O apóstolo Paulo diz que Cristo morreu por nós, sendo nós fracos, ímpios, pecadores e inimigos (Rm 5.6-10). Diz ainda: *Aquele que não conheceu pecado, ele o fez pecado por nós; para que nele fôssemos feitos justiça de Deus* (2Co 5.21). Jesus foi nosso substituto e nosso fiador. Levou sobre si nossos pecados e foi traspassado pelas nossas iniquidades. O único fundamento da nossa justificação no tempo e na eternidade é a imputação do nosso pecado a Cristo e a imputação da justiça de Cristo a nós. Lutero chamou essa justiça de justiça alienígena, ou seja, a justiça que vem de fora de nós. Somente o perdão sem causa pode igualar o pecado sem escusa. O sofrimento de Cristo foi por nossa causa, e o mistério é que aquele que não merecia sofrer padeceu em nosso lugar aquilo que nós teríamos de sofrer.[257]

Em terceiro lugar, *o seu propósito. ... para conduzir-vos a Deus...* (3.18c). O propósito da morte de Cristo foi reconciliar-nos com Deus, abrindo-nos o portal da graça e dando-nos livre acesso ao Pai (Rm 5.2; Ef 2.18; 3.12). Com sua morte, ele inaugurou para nós um novo e vivo caminho até Deus. Ele é caminho que nos leva ao Pai. Jesus é a porta de acesso ao trono da graça. William Barclay esclarece:

A palavra grega *prosagein* significa "conduzir". No Novo Testamento se usa em três ocasiões o substantivo *prosagoge*. *Prosagein*, o verbo, significa "introduzir"; *prosagoge*, o substantivo, significa "o direito de acesso". Mediante Jesus Cristo temos acesso à graça (Rm 5.2). Mediante ele temos acesso a Deus, o Pai (Ef 2.18). Através dele temos a segurança de chegar confiadamente a Deus (Ef 3.12). Nas cortes reais havia um funcionário chamado *prosagogeus*, "o introdutor", o que dá acesso; sua função era decidir quem seria admitido na presença do rei e a quem se devia impedir que chegasse até ele. Se poderia dizer que ele tinha as chaves de acesso. Assim, Jesus Cristo, mediante o que ele fez, é quem leva os homens à presença de Deus, e quem outorga o acesso a Deus.[258]

A vitória de Cristo (3.18b-22)

A passagem bíblica que temos diante de nós é uma das mais difíceis de interpretar em toda a Bíblia. Kistemaker chega a dizer que não podemos esperar unanimidade na interpretação dessa passagem; não temos como chegar a um acordo.[259] Vamos destacar alguns pontos.

Em primeiro lugar, *Cristo morreu e ressuscitou. ... morto, sim, na carne, mas vivificado no espírito* (3.18c). Cristo morreu e ressuscitou. Venceu a morte e trouxe à luz a imortalidade. As palavras "vivificado no espírito" também podem ser traduzidas como "vivificado pelo Espírito", de tal forma que não há certeza se Pedro se refere ao espírito humano de Jesus ou ao Espírito Santo.[260] Kistemaker entende que a expressão "vivificado no espírito" se relaciona à esfera espiritual da existência de Cristo após a ressurreição, embora não se possa excluir a possibilidade de uma referência ao Espírito Santo, uma vez que a ressurreição de Cristo é obra do Deus Triúno (Jo 10.18; Rm 6.4; 8.11)".[261]

Em segundo lugar, *Cristo proclamou publicamente sua vitória. No qual também foi e pregou aos espíritos em prisão, os quais, noutro tempo, foram desobedientes quando a longanimidade de Deus aguardava nos dias de Noé, enquanto se preparava a arca, na qual poucos, a saber, oito pessoas, foram salvos, através da água* (3.19,20). R. C. Sproul, renomado apologista cristão, diz que esta passagem provoca uma série de perguntas preliminares: Que espírito está em foco aqui, o espírito humano ou o Espírito Santo? Quem são esses espíritos em prisão? O que essa prisão indica e onde fica? Quando essa pregação aconteceu? Por que essa pregação foi necessária? Cada uma dessas perguntas tem respostas diferentes segundo diferentes estudiosos da Bíblia.[262] Na verdade, este é um dos textos mais difíceis de interpretar em todo o Novo Testamento. Não há consenso entre os estudiosos acerca de seu significado. Alguns indivíduos têm usado o texto como pretexto para justificar a herética ideia do purgatório bem como da salvação universal.

Kistemaker afirma que, se tomarmos o pronome relativo *qual* como relacionado àquilo que o antecede imediatamente, entenderemos que se refere ao Espírito Santo. Por meio do Espírito Santo, depois da ressurreição, Jesus Cristo "foi e pregou aos espíritos em prisão" (3.19b). Esse é o pensamento de Calvino.[263] Também podemos relacionar a expressão *no qual* com a palavra *espírito* sem letra maiúscula. Se interpretarmos a frase nesse sentido, seu significado é, na verdade, "em estado ressurreto". O pronome relativo, nesse caso, está relacionado ao estado espiritual de Cristo após a ressurreição.[264]

Nosso entendimento é que esses "espíritos em prisão" não poderiam ser espíritos humanos. Isso porque não há salvação depois da morte. Então, essa proclamação foi feita aos anjos caídos. Sendo assim, não foi uma proclamação para redenção, uma vez que não há salvação para anjos caídos. O termo traduzido por "pregou" significa, simplesmente, "anunciou como arauto, proclamou".[265] Logo, essa proclamação não se deu no período entre a morte e a ressurreição de Cristo, pois em nenhum lugar as Escrituras nos informam que Jesus desceu ao inferno.

Na busca do correto entendimento da passagem, muitas interpretações já foram publicadas. As cinco mais conhecidas são apresentadas a seguir.

Primeiro, *a posição de Clemente de Alexandria, de que Cristo desceu ao inferno.* Essa interpretação vem da expressão contida no credo apostólico: "Ele [Jesus] desceu ao inferno". Clemente de Alexandria, por volta do ano 200 d.C., ensinava que Cristo foi ao inferno em espírito proclamar a mensagem da salvação às almas dos pecadores que lá estavam presas desde o dilúvio.[266] Essa posição de Clemente fica comprometida por duas razões óbvias: as Escrituras nada dizem sobre o aprisionamento de almas condenadas por Deus nem sobre a possibilidade de conversão após a morte.[267] Para Calvino, a expressão do credo apostólico, "desceu ao inferno", estava fora de lugar e deveria ser mudada na sequência do texto, como segue: "[Jesus] sofreu sob o poder de Pôncio Pilatos e foi crucificado, desceu ao inferno, morreu e foi sepultado". No entendimento de Calvino, Jesus de fato desceu ao inferno, mas não depois de sua morte ou entre sua morte e a ressurreição, mas quando estava na cruz. A razão para isso é que na cruz Jesus deu um brado: *Está consumado!* (Jo 19.30). Portanto, não haveria nada mais a ser feito depois de sua morte. E, além disso, a Bíblia deixa claro onde Jesus estava entre sua morte e sua ressurreição. Seu corpo foi sepultado e seu espírito foi entregue ao Pai (Lc 23.46). Consequentemente, nem em seu corpo nem em seu espírito, Jesus desceu ao inferno entre sua morte e sua ressurreição.

Kistemaker tem razão em observar que nenhuma parte das Escrituras ensina que, após a ressurreição e antes da ascensão, Cristo desceu ao inferno. Além do mais, temos dificuldade em aceitar a explicação de que Cristo, em seu espírito, foi pregar aos contemporâneos de Noé.[268] Essa era a tese de Clemente de Alexandria (300 d.C.), de que Jesus foi ao inferno para pregar o evangelho a pecadores cativos para que se arrependessem e fossem salvos. Agostinho, porém, refutou tal ideia, uma vez que o Novo Testamento ensina que não há oportunidade de salvação depois da morte. "E, assim como aos homens está ordenado morrerem uma só vez, vindo, depois disso, o juízo" (Hb 9.27). Concordo com R. C. Sproul: "O protestantismo histórico não crê numa segunda chance depois da morte".[269]

Segundo, *a posição de Agostinho*. Por volta de 400 d.C., Agostinho afirmou que o Cristo preexistente proclamou a salvação por intermédio de Noé ao povo que viveu antes do dilúvio. O problema é que isso é um desvio das palavras de 1Pedro 3.19: *No qual também foi e pregou aos espíritos em prisão*. Agostinho fala sobre o Cristo pré-encarnado, não sobre Cristo que foi *morto, sim, na carne, mas vivificado no espírito* (3.18b). Poderíamos sintetizar a posição agostiniana assim: "Por meio de (Espírito Santo), ele (Cristo), foi e pregou (por meio de Noé) aos espíritos (agora) em prisão (no Hades)".[270] Kistemaker diz que a posição de Agostinho predominou no cenário teológico durante séculos, até que o ponto de vista doutrinário de Belarmino, que veremos a seguir, tomou seu lugar na Igreja Católica Romana.[271]

Terceiro, *a posição do cardeal Roberto Belarmino*. Esse cardeal católico introduziu, na última metade do século 6 d.C., a ideia que tem sido defendida por muitos católicos romanos: em espírito, Cristo foi libertar as almas dos justos que se arrependeram antes do dilúvio e que tinham ficado no limbo, ou seja, no lugar entre o céu e o inferno, onde, segundo Belarmino, ficavam as almas dos santos do Antigo Testamento. A interpretação de Belarmino foi amplamente rejeitada pelos protestantes, pelo fato de as Escrituras ensinarem que os santos do Antigo Testamento estão no céu (Hb 11.5,16,40; 12.23).[272] O princípio é que a obra de Cristo é aplicada por Deus tanto para trás com para frente. Os crentes do Antigo Testamento confiaram na promessa futura; nós confiamos no cumprimento da promessa.[273] Eles creram no Cristo da promessa; nós cremos no Cristo da história.

Quarto, *a posição de Friedrich Spitta*. Na última década do século 18, Spitta ensinou que, depois de sua morte e antes de sua ressurreição, Cristo pregou aos anjos caídos, também conhecidos como "filhos de Deus" que, no tempo de Noé, haviam se casado com as "filhas dos homens" (Gn 6.2; 2Pe 2.4; Jd 6). John MacArthur também interpreta o texto de Gênesis como indicando um intercasamento entre seres celestiais e seres terrenos.[274] A posição bíblica mais consistente é que "os filhos de Deus" se referem aos descendentes de Sete que mantiveram sua integridade, e "as filhas dos homens" se referem às descendentes da linhagem de Caim, que estavam cheias de corrupção.[275] A posição de Spitta tem inconsistências gritantes. A ideia de relacionamento sexual entre anjos e mulheres não tem nenhuma sustentação bíblica. Ao responder aos saduceus que lhe perguntaram sobre a ressurreição, Jesus afirmou que os anjos não se casam nem se dão em casamento (Mt 22.30). Logo, é absolutamente improvável que os anjos caídos, que são espíritos, se tenham casado e mantido relações sexuais com mulheres.[276]

Quinto, *a posição contemporânea*. Comentaristas contemporâneos ensinam que o Cristo ressurreto, quando ascendeu aos céus, proclamou aos espíritos em prisão sua vitória sobre a morte. O Cristo exaltado passou pelo reino onde são mantidos os anjos caídos e proclamou seu triunfo sobre eles. A Bíblia fala que os anjos de Deus e os demônios habitam nas regiões celestes (Ef 6.12; Cl 2.15). Francis Schaeffer ilustra isso com uma casa de dois andares. O primeiro é o andar onde vivemos. Aqui é o mundo visível. O segundo andar, as regiões celestes, é o mundo espiritual invisível, onde estão os seres angelicais. Cristo proclamou sua vitória aos seres angelicais nessas regiões celestes. De acordo com Kistemaker, essa interpretação encontra reações favoráveis nos meios protestantes, e também entre os católicos romanos, e está em harmonia com o ensinamento da passagem de Pedro e o restante das Escrituras.[277] Na mesma linha de pensamento, Mueller escreve:

> A tônica nessa passagem seria que as forças espirituais do mal foram julgadas por Cristo na morte e na ressurreição, e que ele próprio proclamou-lhes a sua vitória, ficando elas submetidas a ele desde então, como soberano celeste, que governa à destra de Deus. A mensagem seria, assim, a mesma do quadro pintado em Colossenses 2.15, de uma procissão triunfal em que Cristo expõe "os principados e potestades" derrotados na cruz. Para os cristãos da Ásia Menor, aos quais 1Pedro foi escrita, certamente esta era uma mensagem de tremenda significação. A Ásia Menor era conhecida como uma região em que grassava todo tipo de artes mágicas e envolvimentos com forças ocultas. Como exemplo, pode-se ver Atos 19.19, que menciona os que praticavam

artes mágicas em Éfeso, antes da sua conversão a Cristo, e como queimaram os livros de magia. Em Pérgamo, segundo Apocalipse 2.13, encontrava-se "o trono de Satanás"; e em Tiatira muitos se gabavam de conhecer "as coisas profundas de Satanás (2.24)... Numa situação como essa, o anúncio da vitória de Cristo sobre todas as forças do mal, na sua morte e ressurreição é muito encorajador. Essas forças angélicas haviam se tornado objeto de culto por toda a Ásia Menor. Portanto, estar do lado de Cristo é estar do lado do Senhor do universo, do lado da vitória, da vida, sem se deixar intimidar por quaisquer forças malignas que se levantem contra aqueles que "em Cristo" (3.16) "passaram das trevas para a luz" (2.9).[278]

Em terceiro lugar, *Cristo instituiu o batismo. ... enquanto se preparava a arca, na qual poucos, a saber, oito pessoas, foram salvos, através da água, a qual, figurando o batismo, agora também vos salva, não sendo a remoção da imundícia da carne, mas a indagação de uma boa consciência para com Deus, por meio de ressurreição de Jesus Cristo* (3.20b,21). Mais uma vez Pedro muda de assunto. Agora, passa a falar sobre o batismo. Destacamos aqui quatro pontos para nossa reflexão.

1. *O histórico.* Pedro evoca a história do dilúvio. Nesse tempo, enquanto Noé preparava a arca, tornou-se o pregador da justiça (2Pe 2.5). A população do mundo pereceu, e apenas oito pessoas foram salvas, através da água. A mesma água que afogou as multidões fez a arca boiar. A família de Noé entrou na arca e deixou para trás um mundo de iniquidade. Antes que o dilúvio de perversidade desse fim à família de Noé, Deus os salvou e deu continuidade à raça humana.[279]

2. *O símbolo.* O livramento de Noé das águas do dilúvio é visto como uma prefiguração e um símbolo salvífico do

batismo. Concordo com Kistemaker quando ele diz que o texto pressupõe uma semelhança entre o dilúvio e o batismo, ou seja, da mesma forma que as águas do dilúvio limparam a terra da perversidade humana, assim também a água do batismo indica a purificação do ser humano dos pecados. Da mesma forma que o dilúvio separou Noé e sua família do mundo perverso da época, assim também o batismo separa os crentes do mundo perverso de nossos tempos. O batismo, portanto, assemelha-se ao dilúvio.[280]

3. *O significado.* O batismo é um símbolo. O batismo não salva nem a água do batismo purifica. O ensino romano acerca da regeneração batismal não tem amparo nas Escrituras. O batismo não opera por si mesmo. O batismo não faz de um pagão um cristão. A Palavra de Deus é clara: *Não por obras de justiça praticadas por nós, mas segundo sua misericórdia, ele nos salvou mediante o lavar regenerador e renovador do Espírito Santo* (Tt 3.5). Somos salvos pela morte expiatória de Cristo na cruz e por sua ressurreição (Rm 6.4). O batismo é um símbolo do sangue purificador de Cristo e o do lavar regenerador do Espírito. Pedro deixa claro que o sacramento do batismo em si não mesmo é eficaz para remover a imundícia da carne. Kistemaker esclarece esse ponto: "O batismo que salva a pessoa deve ser expresso por uma cerimônia externa desse sacramento e através da indagação de uma boa consciência para com Deus, que flui do coração do cristão".[281] Warren Wiersbe lança luz sobre nosso entendimento quando diz que a palavra "indagação", no versículo 21, é um termo legal para indicar "promessa, garantia". Quando uma pessoa assinava um contrato, costumava perguntar-se a ela: "Você promete obedecer e cumprir aos termos deste contrato?", ao que deveria responder: "Sim, prometo" a fim de poder assinar.

Quando os convertidos eram preparados para o batismo, deveriam responder se era sua intenção obedecer e servir a Deus, rompendo com sua vida passada de pecado. Se houvesse alguma reserva em seu coração ou se eles mentissem deliberadamente, não teriam uma boa consciência e, sob a pressão da perseguição, acabariam negando ao Senhor. Assim, Pedro lembrava-os do testemunho que haviam dado no batismo, a fim de estimulá-los à fidelidade a Cristo.[282]

4. *O instrumento.* Pedro diz que a salvação recebida e testemunhada publicamente no batismo nos é concedida por meio da ressurreição de Cristo. A ressurreição de Cristo é o amém de Deus Pai ao grito de triunfo de seu Filho na cruz: "Está consumado!". Um Cristo morto seria incapaz de salvar. A igreja não adora o Cristo que esteve vivo e está morto, mas o Cristo que esteve morto e está vivo. O apóstolo Paulo chega a dizer que, se Cristo não ressuscitou, *é vã a nossa pregação, e vã, a vossa fé* (1Co 15.14). Sem a ressurreição, o batismo não teria nenhum valor.

Em quarto lugar, *Cristo ascendeu ao céu. O qual, depois de ir para o céu...* (3.22a). Jesus Cristo veio do céu, encarnou-se, viveu, morreu, foi sepultado, ressuscitou e voltou ao céu. Sua ascensão pública (Lc 24.50,51; At 1.9-11) foi a garantia de que sua obra redentora foi vitoriosa.

Em quinto lugar, *Cristo está exaltado à destra de Deus Pai. ... está à destra de Deus...* (3.22b). Jesus retornou ao céu para receber a maior honra imaginável. Ele está ao lado direito de Deus Pai. Tem em suas mãos o livro da história. Governa o universo e dirige a igreja (Ef 1.20; Hb 1.3; 10.12; 12.2). William MacDonald diz que o lugar onde Cristo foi colocado representa: 1. poder (Mt 26.64); 2. honra (At 2.33; 5.31); 3. descanso (Hb 1.3); 4. intercessão (Rm 8.34); 5. preeminência (Ef 1.20,21); 6. domínio (Hb 1.13).[283]

Em sexto lugar, *Cristo está revestido de toda autoridade*. "... ficando-lhe subordinados anjos, e potestades, e poderes" (3.22c). O termo "anjos" inclui espíritos bons e maus. Tanto os anjos quanto os demônios são subordinados a Cristo. Essas mesmas potestades e poderes que hoje estão sob a autoridade de Cristo serão destruídas por ele em sua segunda vinda (1Co 15.24). Concluo, com as palavras de Mueller:

> Cristo, após a sua vitória sobre estes poderes na morte (Cl 2.15) e sobre a própria morte na sua ressurreição, é recebido agora nas esferas celestes, de onde o universo é governado, e entronizado como regente do universo, à destra de Deus Todo-poderoso. Por todos os cantos do universo é feita a proclamação: "o reino do mundo se tornou de nosso Senhor e do seu Cristo, e ele reinará pelos séculos dos séculos" (Ap 11.15). E todas as forças cósmicas deste universo são colocadas debaixo de seus pés.[284]

Notas do capítulo 7

[233] WIERSBE, Warren W. *Comentário bíblico expositivo*, p. 531.
[234] MACDONALD, William. *Believer's Bible Commentary*. Nashville, TN: Thomas Nelson Publishers, 1995, p. 2269.

235 WIERSBE, Warren W. *Comentário bíblico expositivo*, p. 531.
236 MUELLER, Ênio R. *I Pedro: Introdução e comentário*, p. 184.
237 WIERSBE, Warren W. *Comentário bíblico expositivo*, p. 531.
238 KISTEMAKER, Simon. *Epístolas de Pedro e Judas,* p. 174.
239 MUELLER, Ênio R. *I Pedro: Introdução e comentário,* p. 184.
240 MACDONALD, William. *Believer's Bible Commentary*, p. 2269.
241 KISTEMAKER, Simon. *Epístolas de Pedro e Judas,* p. 177.
242 BEST, Ernest. *I Peter.* Oliphants, London: New Century Bible Series, 1971, p. 130.
243 WIERSBE, Warren W. *Comentário bíblico expositivo*, p. 532.
244 MUELLER, Ênio R. *I Pedro: Introdução e comentário*, p. 188.
245 KISTEMAKER, Simon. *Epístolas de Pedro e Judas,* p. 179.
246 KISTEMAKER, Simon. *Epístolas de Pedro e Judas,* p. 181.
247 BARCLAY, William. *Santiago, I y II Pedro*, p. 262.
248 MUELLER, Ênio R. *I Pedro: Introdução e comentário*, p. 194.
249 MUELLER, Ênio R. *I Pedro: Introdução e comentário*, p. 196.
250 KISTEMAKER, Simon. *Epístolas de Pedro e Judas,* p. 184.
251 KISTEMAKER, Simon. *Epístolas de Pedro e Judas,* p. 185.
252 MUELLER, Ênio R. *I Pedro: Introdução e comentário*, p. 198.
253 KISTEMAKER, Simon. *Epístolas de Pedro e Judas,* p. 188.
254 BARCLAY, William. *Santiago, I y II Pedro*, p. 266.
255 SPROUL, R. C. *1-2 Peter*, p. 124.
256 MUELLER, Ênio R. *I Pedro: Introdução e comentário*, p. 204.
257 BARCLAY, William. *Santiago, I y II Pedro*, p. 267.
258 BARCLAY, William. *Santiago, I y II Pedro*, p. 268.
259 KISTEMAKER, Simon. *Epístolas de Pedro e Judas,* p. 193.
260 SPROUL, R. C. *1-2 Peter*, p. 125.
261 KISTEMAKER, Simon. *Epístolas de Pedro e Judas,* p. 192.
262 SPROUL, R. C. *1-2 Peter*, p. 125.
263 CALVIN, John. *Calvin's Commentaries. Vol. XXII.* Grand Rapids, MI: Baker Books, 2009, p. 113.
264 KISTEMAKER, Simon. *Epístolas de Pedro e Judas,* p. 193,194.
265 WIERSBE, Warren W. *Comentário bíblico expositivo*, p. 537.
266 KISTEMAKER, Simon. *Epístolas de Pedro e Judas,* p. 198.
267 KISTEMAKER, Simon. *Epístolas de Pedro e Judas,* p. 199.
268 KISTEMAKER, Simon. *Epístolas de Pedro e Judas,* p. 195.
269 SPROUL, R. C. *1-2 Peter*, p. 126.
270 MACDONALD, William. *Believer's Bible Commentary*, p. 2272.
271 KISTEMAKER, Simon. *Epístolas de Pedro e Judas,* p. 199.
272 KISTEMAKER, Simon. *Epístolas de Pedro e Judas,* p. 199.
273 SPROUL, R. C. *1-2 Peter*, p. 127.

[274] SPROUL, R. C. *1-2 Peter*, p. 127.
[275] SPROUL, R. C. *1-2 Peter*, p. 127.
[276] KISTEMAKER, Simon. *Epístolas de Pedro e Judas,* p. 200.
[277] KISTEMAKER, Simon. *Epístolas de Pedro e Judas,* p. 200.
[278] MUELLER, Ênio R. *I Pedro: Introdução e comentário*, p. 217,218.
[279] KISTEMAKER, Simon. *Epístolas de Pedro e Judas,* p. 201.
[280] KISTEMAKER, Simon. *Epístolas de Pedro e Judas,* p. 202.
[281] KISTEMAKER, Simon. *Epístolas de Pedro e Judas,* p. 203.
[282] WIERSBE, Warren W. *Comentário bíblico expositivo*, p. 539.
[283] MACDONALD, William. *Believer's Bible Commentary*, p. 2275.
[284] MUELLER, Ênio R. *I Pedro: Introdução e comentário*, p. 224.

Capítulo 8

Como transformar o sofrimento em triunfo
(1Pe 4.1-19)

O HEDONISMO FAZ DA FELICIDADE o fim último da vida. O problema é que o hedonista contenta-se com uma felicidade pequena demais, terrena demais, superficial demais. Na verdade, Deus nos criou e nos salvou para a maior de todas as felicidades, a felicidade de amá--lo, glorificá-lo e fruí-lo para sempre. A verdadeira felicidade não é uma iguaria no banquete do pecado, mas uma realidade encontrada na presença de Deus. É na presença de Deus que existe plenitude de alegria; e somente em sua intimidade nossa alma experimenta delícias perpetuamente.

Muitos cristãos entram em crise quando passam por sofrimento. Perguntam:

Por que um cristão sofre? Será que está em pecado? Será que Deus o está castigando? Ele não tem fé ou desconhece seus direitos?

Outros ainda indagam: Se existe sofrimento, Deus existe mesmo? Se Deus é bom e também onipotente, por que não destrói o mal? Por que precisamos sofrer? Por que coisas más acontecem com pessoas boas?

O sofrimento é variado e atinge a todos. Há sofrimento físico e sofrimento emocional. Há dor amortecida e dor aguda. Mas muitas formas de sofrimento não se irradiam da dor física. O medo e a ansiedade podem produzir grande sofrimento. A humilhação, o desprezo, a solidão, a perda de um ente querido, o remorso, a destruição do casamento podem causar grande sofrimento. O sofrimento emocional pode ser tão profundo quanto a dor física.

O sofrimento é complexo: abrange a mente, as emoções, o físico e o espírito. A depressão profunda é uma terrível realidade para muitos. Há a dor do faminto, do desamparado, do órfão, da vítima, do enlutado, do perdido.

A Bíblia está repleta de relatos que dizem que Deus não nos poupa do sofrimento, mas caminha conosco pelo sofrimento (Is 43.1-3; Sl 23.4). Deus trabalha as circunstâncias dolorosas da nossa vida e as canaliza para o nosso bem (Gn 50.20; Rm 8.28). Deus transforma as circunstâncias adversas em benefício para nós (Fp 1.12; Sl 84.5-7). Mesmo que as circunstâncias não mudem, Deus mesmo é a razão da nossa alegria (Hc 3.17,18). Podemos alegrar-nos nas tribulações (Rm 5.3-5; Tg 1.2).

O apóstolo Pedro oferece alguns princípios para triunfarmos no meio do sofrimento.

Os propósitos de Deus no sofrimento do cristão (4.1-11)

Quatro verdades são destacadas pelo apóstolo Pedro nesta passagem.

Em primeiro lugar, *o sofrimento nos ajuda a vencermos o pecado* (4.1-3). O sofrimento faz o pecado perder o poder em nossa vida. Enquanto o sofrimento endurece o ímpio, amolece o coração do crente. O exemplo do sofrimento de Cristo ajuda o cristão a enfrentar o sofrimento com a mesma disposição. O cristão não é melhor do que o seu Senhor. Se o mundo perseguiu a Cristo, infligirá sofrimento a nós também. O sofrimento nos leva a entender que os prazeres do mundo e as paixões da carne não compensam. O sofrimento nos leva a desmamarmos do mundo.

Concordo com Willliam MacDonald quando ele diz que o cristão é confrontado aqui com duas possibilidades: pecado ou sofrimento. Se escolher viver como os ímpios à sua volta, refestelando-se em seus prazeres pecaminosos, evitará a perseguição. Mas, se viver de forma justa e piedosa, levando o opróbrio de Cristo, sofrerá nas mãos dos ímpios.[285]

O cristão deve ter três atitudes em relação ao pecado.

1. *Declarar guerra ao pecado. Ora, tendo Cristo sofrido na carne, armai-vos também vós do mesmo pensamento; pois aquele que sofreu na carne deixou o pecado* (4.1). Pedro nos convoca a termos uma atitude militante contra o pecado. Precisamos ser como soldados que colocam seus equipamentos e se armam para a batalha.[286] Kistemaker diz que o cristão arma-se não para o combate físico, mas para um conflito espiritual.[287] Nessa guerra espiritual devemos tomar toda a armadura de Deus (Ef 6.11), sabendo que nossas armas não são carnais, mas poderosas em Deus para anularmos sofismas, destruirmos fortalezas e levarmos todo pensamento cativo à obediência de Cristo (2Co 10.4).

Por que devemos resistir ao pecado? Porque o pecado causou terrível sofrimento a Cristo (2.21; 3.18; 4.1). Warren Wiersbe é contundente ao perguntar: "Como ter prazer em algo que levou Jesus a sofrer e a morrer na cruz? Se um criminoso cruel esfaqueasse meu filho e o matasse, duvido que eu guardaria a faca em uma redoma de vidro na estante da sala".[288] O apóstolo João diz que aquele que permanece em Cristo não vive em pecado (1Jo 3.6). Diz ainda que todo aquele que pratica o pecado procede do diabo (1Jo 3.8).

2. *Conhecer a vontade de Deus. Para que, no tempo que vos resta na carne, já não vivais de acordo com as paixões dos homens, mas segundo a vontade de Deus* (4.2). Resistir ao pecado nos possibilita conhecer a vontade de Deus. A vontade Deus não é um fardo sobre nós; ao contrário, torna o nosso fardo leve. Kistemaker afirma que Pedro faz aqui um contraste gritante entre os "desejos humanos perversos" e a "vontade de Deus". Os dois são mutuamente excludentes, e os cristãos devem saber que não podem seguir a ambos (Rm 6.2,6,7; 1Jo 2.16,17).[289] Os cristãos preferem sofrer por Cristo a pecarem como os ímpios. Estão prontos a morrerem, não a pecarem.

3. *Não ter saudade do passado. Porque basta o tempo decorrido para terdes executado a vontade dos gentios, tendo andado em dissoluções, concupiscências, borracheiras, orgias, bebedices e em detestáveis idolatrias* (4.3). Resistir ao pecado nos ajuda a lembrar da nossa cruel escravidão no passado, da grandeza da nossa redenção no presente e da gloriosa recompensa no futuro. O cristão não pode ter saudade do seu passado de escravidão ao pecado.

Há ocasiões em que é errado olhar para o passado, pois Satanás pode usar essas memórias para nos desanimar.

Mas Deus instou os israelitas a se lembrarem de que haviam sido escravos no Egito (Dt 5.15).[290]

Os substantivos usados por Pedro, no original, estão todos no plural:

- "Dissoluções": muitos atos incontidos de luxúria e iniquidade, ou seja, qualquer tipo de descontrole;
- "Concupiscências": desejos perversos, luxúria;
- "Borracheiras": transbordamento de vinho que aponta para o excesso de consumo da bebida e cateriza um beberrão;
- "Orgias": termo definido como uma procissão noturna e desordeira de pessoas semiembriagadas e festivas que, depois de jantar, desfilavam pelas ruas com tochas e músicas em homenagem a Baco ou alguma outra divindade, cantando e tocando diante das casas de seus amigos e amigas;
- "Bebedices": traz a ideia de uma festa em que se bebe não necessariamente em excesso, mas dando oportunidade para que isso aconteça;
- "Detestáveis idolatrias": a adoração de ídolos resultava em imoralidade e intemperança, por esse motivo Pedro chama as idolatrias de detestáveis.[291]

MacDonald diz que uma pessoa se torna semelhante àquilo que ela adora. Quando abandona o verdadeiro Deus, seus valores morais são automaticamente relativizados.[292]

Em segundo lugar, *o sofrimento nos ajuda a testemunharmos de Cristo* (4.4-6). Os amigos não salvos ficam surpresos quando o cristão se recusa a participar das coisas que eles participam. Mesmo sofrendo, o cristão canta, louva, adora e agradece a Deus. Jó, mesmo depois de perder seus bens, seus filhos e sua saúde, e mesmo prostrado na cinza, ainda glorifica a Deus, dizendo: ... *o SENHOR o deu e o SENHOR o tomou; bendito seja o nome do SENHOR!* (Jó 1.21). Paulo e Silas, depois de terem sido açoitados em praça pública e jogados no interior de um cárcere imundo, cantam na prisão à meia-noite. Isso impactou os prisioneiros e trouxe salvação ao carcereiro e à sua família (At 16.25-34). O diácono Estêvão, mesmo sendo acusado injustamente, tem um brilho no rosto como se fosse um anjo; mesmo apedrejado, intercede por seus algozes (At 6.15-7.53). Jesus, mesmo pregado na cruz, tem palavras de amor nos lábios (Lc 23.34).

Três fatos são destacados por Pedro no texto.

1. *O testemunho do cristão produz estranheza nos ímpios. Por isso, difamando-vos, estranham que não concorrais com eles ao mesmo excesso de devassidão* (4.4). O mundo fica chocado quando o cristão não participa de sua conduta reprovável nem aprova sua devassidão incorrigível. Para o ímpio, falar palavrões, contar piadas imorais, embriagar-se, assistir a filmes pornográficos e ter um comportamento imoral faz parte da vida. O ímpio não consegue entender como um cristão não aprecia essas mesmas coisas.

2. *Os ímpios terão de prestar contas a Deus. Os quais hão de prestar contas àquele que é competente para julgar vivos e mortos* (4.5). Os ímpios podem julgar-nos, mas, um dia, Deus os julgará. O julgamento final pertence a Deus. E Deus julga as obras de cada um de modo imparcial (1.17) e reto (2.23). Deus julga vivos e mortos (At 10.42; Rm 14.9; 1Tm 4.1). Jesus foi enfático: *Digo-vos que toda palavra frívola que proferirem os homens, dela darão conta no Dia do Juízo* (Mt 12.36). Nesse dia, grandes e pequenos, vivos e mortos, comparecerão perante o trono branco e

serão julgados (Ap 21.11-13). Nesse, dia, os ímpios ficarão desesperados (Ap 6.15-17).

3. *A morte não tem a última palavra na vida dos cristãos. Pois, para este fim, foi o evangelho pregado também a mortos, para que, mesmo julgados na carne segundo os homens, vivam no espírito segundo Deus* (4.6). De acordo com Warren Wiersbe, não podemos interpretar 1Pedro 4.6 sem levar em consideração o contexto do sofrimento, pois, de outro modo, teremos a impressão de que se trata de uma segunda chance de salvação após a morte. Pedro está lembrando seus leitores acerca dos cristãos martirizados por causa da fé. Eles foram julgados falsamente pelos homens, mas, na presença de Deus, receberam o verdadeiro julgamento. Os inimigos dos cristãos pensavam que, ao persegui-los até a morte, estavam dando a eles um julgamento justo e uma derrota definitiva. Mas não sabiam que, aos olhos de Deus, esses cristãos continuavam a viver no espírito.[293] Nas palavras de MacDonald, a pregação do evangelho traz dois resultados para aquele que crê – a zombaria dos homens e a aprovação de Deus.[294]

Os "mortos" citados no versículo 6 são "os que estão mortos agora", ou seja, no tempo em que Pedro escrevia. O evangelho é pregado somente aos vivos (1.25), pois não há oportunidade de salvação depois da morte (Hb 9.27).[295] R. C. Sproul diz acertadamente que Pedro não se refere à pregação de Jesus a espíritos mortos; ao contrário, tratando da razão pela qual Cristo veio ao mundo. Jesus pregou o evangelho, e muitos daqueles que o ouviram e creram tinham morrido. Agora sua luta tinha terminado e sua vitória já havia sido conquistada. Sob o ponto de vista bíblico, só há duas situações em que as pessoas morrem: na fé ou em pecado (sem fé). Todos os dias somos julgados pelos homens. Porém, o julgamento feito a nosso respeito neste mundo – seja bom ou mal – não conta, pois é julgamento feito na carne. O único julgamento que conta é o julgamento de Deus. Portanto, devemos viver não de acordo com o julgamento dos homens, mas de acordo com o julgamento de Deus no Espírito.[296]

Mueller ressalta um paralelismo importante entre 1Pedro 3.18b, *... morto, sim, na carne, mas vivificado no espírito*, e 1Pedro 4.6b, *... mesmo julgados na carne segundo os homens, vivam no espírito segundo Deus*. A mesma oposição entre *carne* e *espírito* se encontra aqui. As duas passagens falam sobre a mesma coisa. Tal como Cristo morreu e ressuscitou, também os crentes que morreram ressuscitarão com ele.[297]

De acordo com Simon Kistemaker, os estudiosos oferecem pelo menos quatro interpretações deste versículo.[298]

Em uma primeira interpretação, "mortos" se refere ao fato de Cristo ter descido ao inferno para pregar o evangelho a todos os mortos que não tinham ouvido ou que haviam rejeitado as boas-novas enquanto estavam vivos. As Escrituras, porém, não ensinam em parte alguma a possibilidade de salvação após morte (Lc 16.26; Hb 9.27). O ensino bíblico, portanto, contradiz essa interpretação.

Na segunda interpretação, os "mortos" são os crentes do Antigo Testamento que, por não terem vivido durante os tempos do Novo Testamento, tiveram de esperar para que Cristo lhes proclamasse o evangelho. Essa interpretação também está prejudicada, pois as Escrituras indicam que a alma dos crentes do Antigo Testamento está no céu (Hb 11.5,16,40; 12.23).

Na terceira interpretação, Clemente de Alexandria (por volta do ano 200 d.C.), sugeriu que o texto se referia à pregação do evangelho àqueles que estavam espiritualmente mortos (Ef 2.1; Cl 2.13). Essa interpretação deu a Clemente muitos seguidores, entre os quais Agostinho e Lutero. A objeção a essa posição vem do contexto anterior (4.5). Se a explicação de Clemente está correta, o intérprete teria de provar que Pedro usa a palavra "morto" com dois sentidos diferentes nos versículos 5 e 6. Está evidente que as palavras do texto não apoiam essa interpretação.

Na quarta interpretação, estudiosos contemporâneos dizem que os "mortos" são aqueles cristãos que ouviram e creram no evangelho enquanto estavam vivos, mas depois faleceram. A versão *NVI* inseriu o advérbio *agora* para ajudar o leitor a entender melhor o relato. Nessa interpretação, a expressão "mortos", tem o mesmo sentido nos versículos 5 e 6. Concordo, portanto, com Kistemaker quando ele diz que esta última interpretação é a menos criticável e a que apresenta respostas a mais objeções.[299] Nessa mesma linha de pensamento, Mueller escreve:

> Estes mortos seriam aqueles cristãos que já morreram, que já foram "julgados na carne segundo os homens". A preocupação com o destino destes aparece em 1Tessalonicenses 4.13-17 e 1Coríntios 15.12,29. O evangelho foi pregado a estes enquanto vivos, e eles o receberam. Depois, morreram. A especulação acerca do destino dos mortos estava bastante acesa em alguns lugares. A intenção de Pedro, então, seria dar alento aos leitores, face às perseguições que estavam sofrendo. Os que hostilizavam os cristãos, podiam dizer: "Morreram, e daí? Que adiantou tudo isso? Vão para o mesmo lugar de todos!". Há, porém, uma realidade que não se vê com os olhos humanos, mas que em Deus é absolutamente certa. Estes que morreram "em Cristo" estão destinados a "viver no espírito segundo Deus". O contraste é entre o que parece ser a sua situação aos olhos humanos e a realidade da sua situação na perspectiva de Deus.[300]

Em terceiro lugar, *o sofrimento nos motiva a aguardarmos a segunda vinda de Cristo*. Ora, *o fim de todas as coisas está próximo; sede, portanto, criteriosos e sóbrios a bem das vossas orações* (4.7). Os cristãos primitivos viviam como que na ponta dos pés, aguardando o retorno de Cristo e a transição do reino da graça para o reino da glória. Mueller diz que essa sensação de viver às portas do desfecho da história e de um novo começo radicalmente distinto é muito importante para a compreensão do cristianismo privimitivo e explica muito da sua vitalidade e da disposição dos cristãos de se desfazerem de tudo o que fosse obstáculo para essa virada na história.[301]

Pedro destaca aqui três verdades:

1. *O futuro já chegou* (4.7a). O intervalo entre a primeira e a segunda vinda de Cristo é o tempo do fim (At 2.16-21; 1Co 10.11). Mas o fim do fim está mais próximo hoje que já esteve no passado. Estamos às portas da eternidade. O dia final se aproxima. Esse era o entendimento dos escritores bíblicos. O apóstolo Paulo escreve: *Porque a nossa salvação está agora mais perto do que quando no princípio cremos* (Rm 13.11). O autor aos Hebreus afirma: ... *e tanto mais quanto vedes que o Dia se aproxima* (Hb 10.25b). Tiago alerta: *Sede vós também pacientes e fortalecei os vossos corações, pois a vinda do Senhor está próxima... Eis que o juiz está às portas* (Tg 5.8,9). O apóstolo João conclui: ... *já é a última hora...* (1Jo 2.18b). Ao longo da história do cristianismo, esta perspectiva de viver "no tempo do fim", da "utopia presente", de estar às portas de uma grande virada histórica, tem alimentado a fé dos cristãos. Na verdade, a característica da espiritualidade cristã é esse desfrutar antecipado da vida futura, ou seja, a capacidade de viver a vida presente sob o signo do futuro.[302]

2. *Viva com discernimento à sombra da eternidade* (4.7b). Se o fim de todas as coisas está próximo, devemos viver hoje como se Cristo fosse voltar amanhã, andando de forma criteriosa e sóbria. O cristão precisa ser criterioso em todas as coisas e sóbrio em todas as palavras e atitudes. William Barclay define a pessoa criteriosa como aquela que distingue o que é importante daquilo que não é; enquanto a pessoa sóbria é aquela que está em contraposição àquela que está ébria.[303] Já Ênio Mueller afirma que os dois verbos gregos, *sofronesate* ("sede criteriosos") e *nepsate* ("sede sóbrios"), apontam para uma mesma coisa: a necessidade de moderação, sobriedade e discernimento, não deixando que coisa alguma venha a perturbar a capacidade de ver e pensar claramente.[304] A expectativa da segunda vinda de Cristo não deve transformar ninguém em sonhador preguiçoso ou fanático zeloso. Tanto viver desatentamente como marcar datas para a segunda vinda de Cristo estão em desacordo com os preceitos de Deus. Em vez de querer fazer parte da "comissão de planejamento" da segunda vinda de Cristo, devemos anelar fazer parte do "comitê de boas-vindas".

3. *Sua vida é a base da sua oração* (4.7c). Um cristão cuja vida está fora da vontade de Deus não tem êxito na oração. Um cristão que vive descuidadamente e sem sobriedade não tem prazer na oração. Pedro já havia dito que, se um marido não trata bem a esposa suas orações são interrompidas (3.7); agora, diz que se uma pessoa tem uma mente desordenada não pode orar como convém.

Em quarto lugar, *o sofrimento nos ajuda a manifestarmos terno amor pelos irmãos* (4.8,9). O sofrimento produz em nós uma sensibilidade mais aguçada. Passamos a enxergar a vida e os outros com outros olhos. Tornamo-nos mais sensíveis, tolerantes, amáveis e generosos. O sofrimento ajuda a abrirmos o bolso, o coração e a casa para ajudar os irmãos. O sofrimento nos torna mais solidários. As grandes campanhas humanitárias são promovidas por pessoas que passaram por grande dor e sofrimento. Pedro destaca duas atitudes aqui.

1. *Abra o coração para seus irmãos. Acima de tudo, porém, tende amor intenso uns para com os outros, porque o amor cobre multidão de pecados* (4.8). A palavra que Pedro usa para descrever este amor cristão é *ektenes,* vocábulo que significa "aquilo que nunca falha". Também traz a ideia do atleta que estica os músculos para dar o máximo de si na corrida. O amor cristão exige tudo o que uma pessoa pode reunir de suas energias espirituais, mentais e físicas. Significa amar aquele que não é digno de ser amado; amar apesar da injúria e do insulto; amar mesmo quando esse amor não é correspondido. É a espécie de amor que exige cada átomo da energia humana.[305]

Pedro afirma enfaticamente que esse amor deve ser intenso na sua manifestação e protetor em sua atitude. O amor brilha como sol e protege como um escudo. Se o ódio suscita contendas, o amor cobre as transgressões (Pv 10.12). É óbvio que não devemos tomar essa expressão "o amor cobre multidão" de pecados como uma explanação doutrinária sobre como o pecado é removido. A culpa e a penalidade do pecado só podem ser removidas pelo sangue de Cristo Jesus. Nem devemos usar essa passagem para justificar a falta de correção e a disciplina dos faltosos. Na verdade, devemos entender que o amor não é conivente com o pecado, mas não se deleita em expor o pecador à execração pública. Warren Wiersbe ilustra esse ponto com clareza:

Gênesis 9.18-27 apresenta uma bela ilustração desse princípio. Noé embebedou-se e se descobriu de modo vergonhoso. Seu filho, Cão, viu a vergonha do pai e contou para a família. Em uma demonstração de terna preocupação, dois irmãos de Cão cobriram o pai e sua vergonha. Não devemos ter dificuldade em cobrir os pecados dos outros, pois, afinal, Jesus Cristo morreu para que nossos pecados fossem cobertos com seu sangue.[306]

2. *Abra sua casa para seus irmãos. Sede, mutuamente, hospitaleiros, sem murmuração* (4.9). O termo grego traduzido por "hospitaleiros", *filoxenoi,* significa literalmente "amigo de estranhos". A hospitalidade na igreja primitiva era absolutamente vital tanto no aspecto da missão quanto da vida comunitária. Hospedar os missionários cristãos era tarefa sumamente importante e tecnicamente fundamental para que o cristianismo se espalhasse pelo mundo.[307] Como não havia templos, e todas as reuniões da igreja eram feitas em casas, a hospitalidade era também de importância fundamental para a vida comunitária.

O cristão abre não apenas seu coração, mas também sua casa. O cristão é alguém que tem o coração aberto e a casa aberta. Não basta abrir a casa aos irmãos; precisamos fazer isso com alegria e sem murmuração. O povo de Deus precisa ser hospitaleiro (Êx 22.21; Dt 14.28,29; Rm 12.13; Fm 22; Hb 13.2). Paulo ensinou que um dos requisitos do presbítero é ser hospitaleiro (1Tm 3.2; Tt 1.8). Também exortou as viúvas na igreja a mostrarem suas boas obras oferecendo hospitalidade (1Tm 5.10). A hospitalidade na igreja primitiva era uma necessidade vital para o avanço missionário da igreja. As pousadas ou hospedarias eram excessivamente caras, sofrivelmente sujas e notoriamente imorais. Sem hospitalidade os missionários itinerantes teriam sua atividade estancada. E mais: nos primeiros dois séculos da era cristã não havia templos. Por isso, as igrejas reuniam-se em casas (Rm 16.5; 1Co 16.19; Fm 2).[308]

Em quinto lugar, *o sofrimento nos ajuda a colocarmos os dons que Deus nos deu a serviço do seu povo* (4.10,11). Precisamos servir uns aos outros, de acordo com o dom que recebemos. Nossa vida deixa de ser egoísta. Nosso propósito é abençoar os outros e edificar o povo de Deus. Nosso alvo é a glória de Deus, a exaltação de Cristo e a edificação dos irmãos. Há cinco listas de dons espirituais no Novo Testamento (Rm 12; 1Co 12; 1Co 14; Ef 4; 1Pe 4). No texto em apreço, Pedro menciona a diaconia da palavra e a diaconia da mesa, ou seja, o serviço e a pregação (At 6.2-4). Pedro destaca duas verdades aqui.

1. *Abra suas mãos para servir a seu irmão. Servi uns aos outros, cada um conforme o dom que recebeu, como bons despenseiros da multiforme graça de Deus* (4.10). O cristão é uma pessoa de coração aberto, de casa aberta e de mãos abertas para servir. O cristão é alguém que é discípulo de Jesus, o Senhor que se fez servo, e veio ao mundo não para ser servido, mas para servir (Mc 10.45), o Senhor que usou a bacia e a tolha como seus distintivos. A palavra grega *diakonuntes*, de onde vem o termo "diaconia", tem aqui um significado abrangente, incluindo todo tipo de serviço que se pode prestar a outros.[309]

A diaconia das mesas não é apenas um trabalho realizado pelos diáconos ordenados, mas um serviço que deve ser prestado por todos os salvos. Pedro ressalta aqui que somos *oikonomoi*, "despenseiros ou mordomos". Cada cristão deve colocar o dom que recebeu a serviço de todos, porque, ao receberem dons, os cristãos se tornam "despenseiros da graça de Deus". A *charis* (graça) é a fonte dos *charismata* (dons, carismas). Quem os recebe, recebe a graça de Deus. Ter um dom espiritual, portanto, é como ter um "depósito da graça", que deve extravasar (porque a graça para ser doada).[310]

O *oikonomos*, "despenseiro ou mordomo", era uma função muito importante naquele tempo. Era o encarregado da casa do senhor, administrando os bens para atender as necessidades de toda a família. Cabia-lhe a responsabilidade de atender os negócios da casa e, sobretudo, de servir à mesa. Devemos olhar para nossos irmãos como superiores a nós, a quem devemos servir com fidelidade. Pedro diz que somos "despenseiros da multiforme graça de Deus". A palavra *poikilos,* traduzida por "multiforme", significa "de diversas cores". Visualmente, seria como um cristal que reflete a luz em várias matizes com uma sempre e nova surpreendente combinação de cores e tons.[311] Assim como existem "várias (*poikilos)* provações" (Tg 1.2), existe também "a multiforme (*poikilos)* graça de Deus" (4.10). Para cada provação da vida, a graça de Deus nos oferece uma saída.

2. *Abra seus lábios para edificar a seu irmão. Se alguém fala, fale de acordo com os oráculos de Deus; se alguém serve, faça-o na força que Deus supre, para que, em todas as coisas, seja Deus glorificado, por meio de Jesus Cristo, a quem pertence a glória e o domínio pelos séculos dos séculos. Amém* (4.11). O cristão deve ter o coração aberto, a casa aberta, as mãos abertas e os lábios abertos. Deve falar não o que pensa, mas de acordo com os oráculos de Deus, ou seja, de acordo com as Escrituras. O cristão não gera a mensagem; ele a transmite. O pregador é aquele que primeiramente escuta a Deus e depois fala aos homens. Certamente, a expressão "Se alguém fala" inclui todos os tipos de ministérios na igreja que primam pela comunicação da graça de Deus *em palavra* (pregação, ensino e literatura).

Finalmente, Pedro diz que tanto a diaconia das mesas (servir) quanto a diaconia da Palavra (falar) têm um único propósito: que Deus seja glorificado por intermédio de Jesus Cristo. Consequentemente, aqueles que pregam buscando glórias para si mesmos estão em total desacordo com o ensino do apóstolo Pedro.

As atitudes do cristão em relação ao sofrimento (4.12-19)

Pedro destaca algumas atitudes do cristão em relação ao sofrimento.

Em primeiro lugar, *não estranhe o sofrimento*. *Amados, não estranheis o fogo ardente que surge no meio de vós, destinado a provar-vos, como se alguma coisa extraordinária vos estivesse acontecendo* (4.12). Aprendemos, à luz deste versículo, algumas verdades importantes.

1. *O sofrimento é compatível com a vida cristã* (4.12). O cristão não pode estranhar o sofrimento como se fosse algo incompatível com a vida cristã. O cristão deve até mesmo esperar as provações. Se o mundo perseguiu a Cristo, perseguirá a nós também. A igreja não se torna fiel por ser perseguida; ela é perseguida por ser fiel. O apóstolo Paulo diz: *Ora, todos quantos querem viver piedosamente em Cristo Jesus serão perseguidos* (2Tm 3.12). O apóstolo João é enfático: *Irmãos não vos maravilheis se o mundo vos odeia* (1Jo 3.13). E Paulo foi novamente categórico: *... através de muitas tribulações nos importa entrar no reino de Deus* (At 14.22b). Jesus deixou isso claro: *No mundo, passais por aflições; mas tende bom ânimo; eu venci o mundo* (Jo 16.33).

2. *O sofrimento é pedagógico* (4.12b). O sofrimento vem para nos provar, e não para nos destruir. O fogo ardente é o fogo da fornalha. É o cadinho onde o metal é purificado.

O fogo só destrói a escória, enquanto purifica o metal. No Antigo Testamento, este vocábulo se aplica a um forno para fundição de minérios, no qual o metal era derretido para ser purgado dos elementos estranhos. Em Salmos 66.10, encontramos: *Pois tu, ó Deus, nos provaste; acrisolaste-nos como se acrisola a prata*. Satanás quis destruir Jó com o sofrimento, mas Deus quis revelar-lhe sua soberania. Satanás quis esbofetear o apóstolo Paulo com o espinho na carne, mas Deus quis quebrantá-lo para que não se ensoberbecesse. O diabo tenta, e Deus prova. O diabo tenta para nos destruir; Deus prova para nos purificar. Concordo com Kistemaker, quando diz: "Os cristãos devem entender que Deus deseja separar a verdadeira fé daquela que é mera imitação, e usa o instrumento do sofrimento para alcançar esse propósito".[312]

Em segundo lugar, *alegre-se no sofrimento* (4.13,14). Jesus ensinou: *Bem-aventurados sois quando, por minha causa, vos injuriarem, e vos perseguirem, e, mentindo, disserem todo o mal contra vós. Regozijai-vos e exultai, porque é grande o vosso galardão nos céus; pois assim perseguiram os profetas que vieram antes de vós* (Mt 5.11,12). O apóstolo Paulo demonstrou alegria apesar dos problemas (Fp 1.12). Paulo demonstrou alegria apesar dos difamadores (Fp 1.15-17). Paulo demonstrou alegria apesar da morte (2Tm 4.6-8). Ele cantou na prisão (At 16.22-33). Paulo se alegrava no sofrimento porque entendia que as coisas espirituais estão acima das materiais; e que o futuro tem mais valor que o presente e o eterno vale mais que o temporal (2Co 4.16-18). Paulo se alegrava porque sabia que Deus está no controle de cada situação (Rm 8.28). Tiago diz que devemos ter motivo de toda a alegria o passarmos por diversas provações (Tg 1.2-4).

Pedro fala sobre uma alegria indizível e cheia de glória, ainda que atacada pela sofrimento (1.6,7).

O sofrimento nos une profundamente a Cristo. Pelo contrário, alegrai-vos na medida em que sois co-participantes dos sofrimentos de Cristo, para que também, na revelação de sua glória, vos alegreis exultando (4.13). Destacamos aqui três pontos.

Primeiro, *para o cristão o sofrimento significa partilhar das suas aflições passadas.* Não somos coparticipantes do sofrimento vicário de Cristo. Este foi único, cabal. Mas, quando sofremos hoje, sofremos da mesma forma que Cristo sofreu, com o mesmo propósito com que Cristo sofreu. Os apóstolos consideram um privilégio sofrer por amor a Cristo (At 5.40,41). Paulo diz: *Porque vos foi concedida a graça de padecerdes por Cristo e não somente de crerdes nele* (Fp 1.29). Kistemaker ainda lança luz sobre nosso entendimento quando escreve:

> Os sofrimentos de Cristo não estão incompletos até que os cristãos também tenham sofrido. O sacrifício expiatório de Cristo é completo e nossa participação em seus sofrimentos não tem nada a ver com esse sacrifício. Cristo, porém, identifica-se com seu povo e, quando este sofre por sua causa, ele também sofre. Quando ensinam e pregam o evangelho, quando testemunham sobre Jesus e quando encontram aflições por amor a ele, estão participando dos sofrimentos de Cristo.[313]

Segundo, *para o cristão o sofrimento significa comunhão com Cristo no presente.* Cristo está conosco na fornalha da aflição. Ele é o quarto homem que passeia no meio do fogo e nos livra da morte. Nas noites escuras da alma, Deus está conosco e nos segura pela mão (Is 41.10). Quando passamos pelas ondas, os rios e o fogo, ele está conosco

(Is 43.2). Jesus prometeu estar conosco todos os dias até a consumação dos séculos (Mt 28.20).

Terceiro, *para o cristão o sofrimento significa partilhar da sua glória futura.* Deus não apenas substituiu o sofrimento pela glória; ele transforma o sofrimento em glória. É como a mulher que sofre para dar a luz. O seu sofrimento é transformado na alegria de trazer ao mundo uma linda vida (Jo 16.20-22). Precisamos olhar para o sofrimento presente pela ótica da glória futura. O caminho para a glória é estreito. Há espinhos. Há cruz. Há dor. Mas ... *os sofrimentos do tempo presente não podem ser comparados com a glória a ser revelada em nós* (Rm 8.18b). *Porque a nossa leve e momentânea tribulação produz para nós eterno peso de glória, acima de toda comparação* (2Co 4.17). Paulo ainda escreve: ... *se com ele sofremos, também com ele seremos glorificados* (Rm 8.17b). No céu, nossas lágrimas serão enxugadas, nossa dor passará. Não haverá nem luto, nem pranto, nem dor (Ap 21.4). Esta é a grande esperança cristã. O céu explicará para nós todo o mistério do sofrimento.

O sofrimento por Cristo nos proporciona bem-aventurança. Se, pelo nome de Cristo, sois injuriados, bem-aventurados sois, porque sobre vós repousa o Espírito da glória e de Deus (4.14). O sofrimento destacado aqui não é físico, mas verbal. Quando enfrentamos o sofrimento sem amargura, sem murmuração e sem revolta, mas nos submetemos a Deus, o Espírito da glória repousa em nós e isso promove a glória do Senhor. MacDonald tem razão em dizer que o Espírito Santo habita no verdadeiro filho de Deus, mas descansa de forma especial sobre aqueles inteiramente consagrados à causa de Cristo. O mesmo Senhor blasfemado pelos perseguidores é glorificado pelos cristãos sofredores.[314]

Quando o povo de Deus canta no sofrimento, a glória de Deus se manifesta. O povo de Judá enfrentou os exércitos confederados de Edom, Amon e Moabe cantando (2Cr 20.22). Os apóstolos enfrentaram a fúria do Sinédrio, os açoites e as prisões alegrando-se. Paulo enfrentou as prisões romanas cantando. Os mártires do cristianismo enfrentaram as fogueiras cantando. William Cowper escreveu: "Por trás de toda providência carrancuda esconde-se uma face sorridente". José do Egito sofreu treze anos de amarga injustiça até ser colocado no trono do mais poderoso império do mundo. Davi suportou a fúria insana de Saul antes de ser proclamado rei de Israel. Os mártires caminhavam para a fogueira e para as bestas feras com cânticos de vitória. Os cisnes cantam mais docemente quando sofrem. As aflições de John Bunyan nos deram a excelente obra *O peregrino*.[315] As aflições de William Cowper nos deram belos hinos. As aflições de David Brainerd nos deram *A vida de David Brainerd*,[316] publicação que tem inspirado missionários no mundo inteiro.

Em terceiro lugar, *avalie o sofrimento* (4.15-18). Nem todo sofrimento é da vontade de Deus (4.19) e nem todo sofrimento glorifica a Deus (4.16). Há sofrimentos provocados pelo próprio homem (4.15). O cristão não pode ser um provocador de problemas. Ele respeita a vida alheia, os bens alheios, a honra alheia e a privacidade alheia (4.15; 2Ts 3.11). O cristão precisa perguntar: Por que estou sofrendo (4.15)? Estou envergonhando ou glorificando a Deus no meu sofrimento (4.16)? Estou procurando ganhar os perdidos, mesmo cruzando o vale escuro do sofrimento (4.17,18)?

Destacaremos alguns pontos aqui.

O sofrimento por causa do pecado é vergonhoso. Não sofra, porém, nenhum de vós como assassino, ou ladrão, ou malfeitor, ou como quem se intromete em negócios de outrem (4.15). O cristão não pode ser uma pessoa violenta, desonesta ou bisbilhoteira. É vergonhoso para um cristão ser acusado e condenado num tribunal por esses pecados e crimes. O cristão não deve ser um transgressor da lei. Sua vida precisa ser o avalista de suas palavras.

O sofrimento pelo evangelho é honroso. Mas, se sofrer como cristão, não se envergonhe disso; antes, glorifique a Deus com esse nome (4.16). A questão não é o sofrimento, mas o motivo desse sofrer. Não há nenhuma vantagem se a causa do sofrimento provém de palavras e ações erradas. A palavra *cristão* só aparece três vezes no Novo Testamento (At 11.26; 26.28; 1Pe 4.16). Pedro, por medo de sofrer e por vergonha de Jesus, negou-o três vezes na casa do sumo sacerdote (Mt 26.69-75). Agora, esse mesmo Pedro insta seus leitores a glorificarem a Deus diante do sofrimento.

O juízo de Deus começa dentro da igreja. Porque a ocasião de começar o juízo pela casa de Deus é chegada; ora, se primeiro vem por nós, qual será o fim daqueles que não obedecem ao evangelho de Deus? E, se é com dificuldade que o justo é salvo, onde vai comparecer o ímpio, sim, o pecador? (4.17,18). O projeto de Deus é nos transformar à imagem do seu Filho. Jesus aprendeu pelas coisas que sofreu. Ele nos disciplina porque nos ama. Ele nos corrige para nos educar. A igreja precisa dar exemplo na forma de se arrepender. Não podemos chamar o mundo ao arrependimento se estivermos vivendo em pecado. Não podemos exortar os outros se nós mesmos não estivermos andando com Deus. Antes de tratar com o mundo, primeiro Deus trata com a igreja. Tendo em vista o julgamento de Deus sobre os justos e os injustos, Pedro faz aos seus leitores a seguinte pergunta: "Ora, se primeiro vem por nós, qual será o fim daqueles que não obedecem ao evangelho de Deus?".

Em quarto lugar, *confie em Deus no sofrimento. Por isso, também os que sofrem segundo a vontade de Deus encomendem a sua alma ao fiel Criador, na prática do bem* (4.19). Duas verdades devem ser destacadas aqui.

Devemos entregar-nos a Deus (4.19a). A palavra grega *paratithesthai*, "encomendar", é um termo bancário que significa "depositar em confiança ou depositar dinheiro nas mãos de um amigo fiel".[317] Pedro exorta a todos os cristãos que sofrem a entregarem a alma (vida) aos cuidados de Deus. Deus nos criou e é totalmente capaz de cuidar de nós. Pedro nos mostra neste texto que Deus não é apenas fiel, mas também soberano e, por isso, digno de toda confiança. Confie em Deus no sofrimento! Alegre-se nele apesar das circunstâncias como fizeram Jó e o profeta Habacuque.

Devemos continuar praticando o bem (4.19b). O sofrimento não nos deve endurecer nem nos deixar apáticos. Ao contrário, nossa entrega a Deus leva-nos à ação. Devemos semear, ainda que com lágrimas. Devemos amar, ainda que rejeitados. Devemos abençoar, ainda que amaldiçoados. Devemos orar, ainda que perseguidos.

Como crentes em Cristo, precisamos acreditar que o sofrimento é uma prova de um Pai amoroso, e não um ardil para nos destruir. O sofrimento não é anormal nem estranho. É o caminho da glória, uma oportunidade para sermos bem-aventurados e glorificarmos a Deus. O sofrimento é uma oportunidade para nos entregarmos a Deus e fazermos o bem aos outros, dando testemunho da nossa fé.

Algumas vezes, vemos mais através de uma lágrima que através de um telescópio. A alma não teria arco-íris se os olhos não tivessem lágrimas.

Deus susurra conosco na hora da alegria e grita conosco na hora da dor.

O Calvário é a grande prova que Deus dá de que o sofrimento segundo a vontade divina sempre conduz à glória.

Notas do capítulo 8

[285] MacDonald, William. *Believer's Bible Commentary*, p. 2275, 2276.
[286] Wiersbe, Warren W. *Comentário bíblico expositivo*, p. 541.
[287] Kistemaker, Simon. *Epístolas de Pedro e Judas,* p. 212.
[288] Wiersbe, Warren W. *Comentário bíblico expositivo*, p. 541.
[289] Kistemaker, Simon. *Epístolas de Pedro e Judas,* p. 215.
[290] Wiersbe, Warren W. *Comentário bíblico expositivo*, p. 542.
[291] Kistemaker, Simon. *Epístolas de Pedro e Judas,* p. 217,218.
[292] MacDonald, William. *Believer's Bible Commentary*, p. 2276.
[293] Kistemaker, Simon. *Epístolas de Pedro e Judas,* p. 224.
[294] MacDonald, William. *Believer's Bible Commentary*, p. 2277.
[295] Wiersbe, Warren W. *Comentário bíblico expositivo*, p. 543.
[296] Sproul, R. C. *1-2 Peter*, p. 144,145.
[297] Mueller, Ênio R. *I Pedro: Introdução e comentário*, p. 233.
[298] Kistemaker, Simon. *Epístolas de Pedro e Judas,* p. 222,223.
[299] Kistemaker, Simon. *Epístolas de Pedro e Judas,* p. 223.
[300] Mueller, Ênio R. *I Pedro: Introdução e comentário*, p. 232,233.
[301] Mueller, Ênio R. *I Pedro: Introdução e comentário*, p. 234.

302 MUELLER, Ênio R. *I Pedro: Introdução e comentário*, p. 235.
303 BARCLAY, William. *Santiago, I y II Pedro*, p. 286,287.
304 MUELLER, Ênio R. *I Pedro: Introdução e comentário*, p. 235.
305 BARCLAY, William. *Santiago, I y II Pedro*, p. 287,288.
306 WIERSBE, Warren W. *Comentário bíblico expositivo*, p. 545.
307 MUELLER, Ênio R. *I Pedro: Introdução e comentário*, p. 237,238.
308 BARCLAY, William. *Santiago, I y II Pedro*, p. 290.
309 MUELLER, Ênio R. *I Pedro: Introdução e comentário*, p. 239.
310 MUELLER, Ênio R. *I Pedro: Introdução e comentário.*, p. 239.
311 MUELLER, Ênio. R. *I Pedro: Introdução e comentário*, p. 240.
312 KISTEMAKER, Simon. *Epístolas de Pedro e Judas,* p. 236.
313 KISTEMAKER, Simon. *Epístolas de Pedro e Judas,* p. 237.
314 MACDONALD, William. *Believer's Bible Commentary*, p. 2278.
315 BUNNIAN, John. *O Peregrino.* Rio de Janeiro: CPAD, 2008.
316 EDWARDS, Jonathan. *A Vida de David Brainerd.* São José dos Campos: Fiel, 2005.
317 BARCLAY, William. *Santiago, I y II Pedro*, p. 298.

Capítulo 9

Uma exortação solene à igreja de Deus
(1Pe 5.1-14)

O APÓSTOLO PEDRO ESTÁ concluindo sua primeira carta. Faz as últimas exortações à igreja. Tem ainda uma palavra específica aos líderes e aos jovens, para então oferecer uma aplicação geral a todos os cristãos.

Uma palavra à liderança (5.1-4)

O apóstolo Pedro faz um apelo veemente aos líderes. Mesmo tendo-se apresentado como apóstolo no início da epístola (1.1), agora, na conclusão, apresenta-se como presbítero (5.1). O apóstolo tem uma responsabilidade pela igreja universal, por todas as igrejas, ao passo que o presbítero tem uma responsabilidade mais restrita pelo grupo local de cristãos.[318] Antes de exortá-los, coloca-se como *sympresbyteros,* ou seja, copresbítero, na mesma posição dos exortados. Quão distante é a atitude de Pedro da posição em que o catolicismo romano o colocou! A declaração de que Pedro foi o primeiro papa, o bispo universal da igreja, o vigário de Cristo na terra, a pedra fundamental sobre a qual a igreja foi edificada, está em total desacordo com o ensino das Escrituras. O cabeça, o bispo universal e a pedra fundamental sobre a qual a igreja está edificada é o Senhor Jesus Cristo. O vigário de Cristo na terra, ou seja, o substituto de Cristo na terra, é o Espírito Santo que foi enviado para estar para sempre com a igreja. Constitui-se um terrível engano colocar Pedro ou qualquer outro homem nessa posição que só pertence ao próprio Deus.

Voltemos ao texto para destacar aqui três pontos.

Em primeiro lugar, *os líderes são apresentados. Rogo, pois, aos presbíteros que há entre vós, eu, presbítero como eles, e testemunha dos sofrimentos de Cristo, e ainda coparticipante da glória que há de ser revelada* (5.1). Pedro faz um apelo à liderança da igreja. Em tempos de sofrimento e perseguição, os líderes precisam estar alertas. Precisam conduzir a igreja por esse vale de dor e ser modelos do rebanho nessa fornalha ardente.

A natureza do apelo. A palavra grega *parakalo,* "rogo", vem de *parákletos,* "consolador". Trata-se de um apelo intenso, veemente, urgente, regado de ternura. Em vez de mandar, Pedro prefere rogar, e rogar com senso de urgência.

Os destinatários do apelo. Pedro endereça sua palavra "aos presbíteros" que lideravam as igrejas. Esses homens eram os pastores do rebanho. Cabia a eles a responsabilidade de cuidar do rebanho. Deviam apascentar as ovelhas e protegê-las dos perigos. Onde quer que as igrejas primitivas fossem organizadas, presbíteros eram eleitos (At 14.23; 15.2,6,22; 20.17,18,28; Fp 1.1; 1Tm 5.17; Tt 1.5; Tg 5.14). Na verdade, os presbíteros eram os anciãos que lideravam as igrejas (At 20.17), os bispos que supervisionavam as igrejas e os pastores que apascentavam as igrejas (At 20.28). William MacDonald diz que o Novo Testamento pressupõe a pluralidade de presbíteros, e não um único presbítero sobre a igreja ou sobre um grupo de igrejas.[319]

O remetente do apelo. Pedro apresenta-se como um presbítero entre os outros presbíteros, e não acima deles. Na igreja de Deus não há hierarquia. Temos funções diferentes no corpo, mas não escalonamento de poder. Somos todos servos do mesmo Senhor. A posição de Pedro é extremamente relevante, porque, como dissemos antes, durante séculos o catolicismo romano o tem considerado papa da igreja, o bispo dos bispos, o substituto de Cristo na terra. Pedro refuta essa ideia ao colocar-se no mesmo nível dos demais presbíteros, e não acima deles. Pedro ainda se apresenta como testemunha dos sofrimentos de Cristo e coparticipante da glória que há de ser revelada. Pedro viu o Pastor morrer pelas ovelhas, e a memória de tal amor constrangeu-o a cuidar das ovelhas como um fiel pastor auxiliar.[320] Kistemaker diz que o termo "testemunha" tem dupla conotação: ver alguma coisa que aconteceu e proclamar a mensagem do acontecimento. Pedro proclamou a mensagem da salvação porque foi testemunha ocular do sofrimento que Jesus enfrentou no Getsêmani, perante o Sinédrio, perante Pilatos e no Calvário.[321]

Em segundo lugar, *os líderes são exortados* (5.2-4). Depois de identificar-se com a liderança das igrejas dispersas, Pedro passa a exortar esses presbíteros mediante uma série de contrastes. Uma ordem expressa é dada: *Pastoreai o rebanho de Deus...* (5.2a). O grupo dos *eleitos* (1.1), o *povo de Deus* (2.9,10), a *casa de Deus* (4.17), é agora chamado de *rebanho* (5.2). Com respeito ao pastoreio do rebanho, três orientações práticas são oferecidas.

1. *Não por constrangimento, mas espontaneamente.* *Pastoreai o rebanho de Deus que há entre vós, não por constrangimento, mas espontaneamente, como Deus quer...* (5.2a). O presbítero é um pastor de ovelhas, e a igreja é o rebanho de Deus.[322] O presbítero não é o dono do rebanho. Deus nunca passou aos presbíteros o direito de posse das ovelhas. Cabe ao presbítero alimentar, proteger e conduzir as ovelhas de Deus. Pedro diz que a liderança na igreja não é algo imposto pela coerção, mas algo voluntário. Ninguém pode ser constrangido a ocupar uma posição de liderança na igreja. O presbiterato deve ser um ministério espontâneo (1Tm 3.1). O comissionamento divino não contradiz a aspiração humana.

Warren Wiersbe entende que Pedro está alertando aqui para o perigo da preguiça.[323] Há muitos pastores preguiçosos, que não suam a camisa nem se afadigam na Palavra (1Tm 5.17). Há muitos pastores que apascentam a si mesmos em vez de cuidarem do rebanho. Buscam as benesses do ministério em vez de se gastarem pelo ministério (2Co 2.17). Buscam glórias para si em vez de conhecerem o estado do seu rebanho. O profeta Ezequiel denunciou os pastores que apascentavam a si mesmos e comiam as carnes das ovelhas, vestindo-se de sua lã em vez de alimentar as ovelhas; pastores que não fortaleciam as ovelhas fracas nem curavam as doentes; pastores que não iam buscar as ovelhas desgarradas nem procuravam as perdidas (Ez 34.1-4).

2. *Não por sórdida ganância, mas de boa vontade.* *... nem por sórdida ganância, mas de boa vontade* (5.2b). A

liderança na igreja não é um posto de privilégio, mas de serviço. O presbítero deve visar a glória de Deus e o bem das ovelhas de Cristo, em vez de fazer a obra visando lucro. A igreja não é uma empresa cuja finalidade é o enriquecimento de seus líderes. A recompensa financeira jamais deve ser a motivação para alguém exercer o pastorado. Um espírito mercenário é incompatível com o exercício desse nobre ofício.[324] Exercer liderança na igreja por sórdida ganância é um grave pecado contra Cristo, o Senhor e dono da igreja. Se Pedro alertou para o perigo da preguiça na primeira exortação, agora alerta também para o perigo da cobiça. A palavra grega *ascrokerdeia* traz a ideia de ganância indigna e mesquinha, de lucro vergonhoso e desonesto.[325] Definia a classe de pessoas que nunca serve alimento suficiente às visitas para servir o dobro para si, ou que só vai a uma programação especial quando alguém lhe paga a entrada.[326] Trata de um indivíduo sovina, pão-duro e avarento.

Na igreja primitiva havia exploradores itinerantes que saíam percorrendo as igrejas, buscando os bens dos cristãos, em vez cuidar do povo. Paulo denuncia essa prática e dá o seu exemplo (At 20.33; 1Co 9.12; 2Co 12.14; 1Ts 2.9). A Palavra de Deus é meridianamente clara em dizer que é dever da igreja pagar ao pastor o seu salário (1Co 9.1,14; 2Co 11.8,9; 12.13; 1Tm 5.17,18). Aqueles, porém, que entram no ministério visando lucro, movidos por sórdida ganância, cometem um horrendo erro. Paulo é categórico em dizer que o presbítero não deve ser avarento (1Tm 3.3) nem cobiçoso de torpe ganância (Tt 1.7). O pastor não deve envolver-se com negócios deste mundo para ganhar dinheiro, ainda que legítimos, se esses negócios o desviam de dedicação exclusiva ao ministério (2Tm 2.4).[327] Concordo com o que diz Selwyn: "O que é proibido não é o desejo de ter remuneração justa, mas o amor sórdido ao lucro".[328]

3. Não como dominadores, mas como modelos. *Nem como dominadores do que vos foram confiados, antes, tornando-vos modelos do rebanho* (5.3). Tendo denunciado o perigo da preguiça e da cobiça, Pedro agora alerta para o perigo da ditadura e da tirania.[329] Os presbíteros recebem autoridade diretamente do Supremo Pastor (5.4) por meio do Espírito Santo (At 20.28). Porém, não devem fazer mau uso dessa autoridade.[330] O presbítero deve ser um exemplo para a igreja, e não um ditador na igreja. Deve andar na frente do rebanho como modelo, e não atrás do rebanho para fustigá-lo e ameaçá-lo.[331] Jesus ensinou que liderança é serviço. Sendo ele o Mestre e o Senhor, usou a bacia e a toalha como emblemas do seu reino (Jo 13.4,5). Na igreja de Deus, ser grande é ser servo de todos. O próprio Filho de Deus disse que não veio para ser servido, mas para servir (Mc 10.45). Não há espaço na igreja de Deus para um líder déspota e ditador. O papel do líder não é dominar o povo de Deus com rigor desmesurado, mas ser exemplo. Warren Wiersbe diz que o problema é que hoje temos celebridades demais e servos de menos.[332] "O Satanás" de John Milton pensava que era melhor reinar no inferno do que servir no céu.[333] Aos seus ambiciosos discípulos, Jesus advertiu: *Sabeis que os que são considerados governadores dos povos têm-nos sob seu domínio, e sobre eles os seus maiorais exercem autoridade. Mas entre vós não é assim; pelo contrário, quem quiser tornar-se grande entre vós, será esse o que vos sirva; e quem quiser ser o primeiro entre vós será servo de todos* (Mc 10.42b-44).

Em terceiro lugar, *os líderes são galardoados*. *Ora, logo que o Supremo Pastor se manifestar, recebereis a imarcescível coroa da glória* (5.4). Jesus é o bom, o grande e o Supremo Pastor das ovelhas. Como bom pastor ele deu sua vida pelas ovelhas (Jo 10.11); como grande Pastor, ele vive para as ovelhas (Hb 13.20,21); como Supremo Pastor, ele voltará para as ovelhas (5.4). A palavra grega *archipoimenos,* traduzida por "Supremo Pastor", significa o primeiro e o maior pastor. Concordo com Mueller quando ele diz que a Igreja tem um só Pastor, que guia todos os cristãos ao aprisco celeste.[334] Os presbíteros são pastores auxiliares sob a autoridade do Supremo Pastor. Os presbíteros que servem com fidelidade ao Senhor da igreja têm a promessa de que, quando Jesus voltar, em majestade e glória, receberão de suas mãos a coroa da glória. No tempo de Pedro, havia diversos tipos de coroas. A mencionada pelo apóstolo é a coroa de um atleta, normalmente uma guirlanda de folhas ou flores que murchava rapidamente. A coroa do presbítero fiel é uma coroa de glória, uma coroa imarcescível. A Bíblia fala de coroa da alegria (1Ts 2.19), coroa da justiça (2Tm 4.8), coroa da vida (Tg 1.12; Ap 2.10) e coroa de glória (1Pe 5.4). Haverá ampla recompensa da parte de Cristo para aqueles que o servirem com fidelidade.

O presbítero precisa fazer a obra de Deus com a motivação certa. Warren Wiersbe aborda essa questão como segue:

> Hoje, um obreiro cristão pode trabalhar visando vários tipos de recompensa. Alguns se empenham para construir impérios pessoais, enquanto outros se esforçam para receber o louvor dos homens; outros, ainda, desejam ser promovidos de cargo dentro da denominação. Um dia, todas essas coisas desaparecerão. A única recompensa que devemos nos esforçar para obter é o "Muito bem!" do Salvador e a coroa incorruptível de glória que acompanha esse louvor. Que alegria enorme será colocar essa coroa aos pés do Senhor

(Ap 4.10) e reconhecer que tudo que fizemos foi por sua graça e poder (1Co 15.10) e para sua glória (4.11).[335]

Os pastores não devem jamais se esquecer de que prestam contas diretamente a Jesus. Devem lembrar-se de que a igreja pertence a Jesus e de que servem ao Pastor Mestre até sua volta. Como copastores de Jesus, eles guiam suas ovelhas para os verdes pastos de sua Palavra e dão a elas o alimento espiritual.[336]

Uma palavra à juventude (5.5a)

Depois de exortar especificamente os líderes, Pedro passa a exortar especificamente os jovens: *Rogo igualmente aos jovens: sede submissos aos que são mais velhos...* (5.5a). O apóstolo já admoestou os santos a serem submissos às autoridades governamentais (2.13-17), os escravos a serem submissos aos seus senhores (2.18-25) e as esposas a serem submissas ao marido (3.1-6). Agora, diz que os jovens devem acatar com mansidão não apenas a liderança dos presbíteros, mas também submeter-se aos outros irmãos mais velhos da igreja (5.5). Os jovens precisam ter a humildade para aprender com os mais velhos e respeitar a liderança dos presbíteros. Desacatar e desrespeitar os mais velhos não é uma atitude digna de um jovem cristão.

Não deve existir dentro da igreja conflito de gerações. É muito frequente os mais velhos resistirem às mudanças e os mais jovens desvalorizarem a herança do passado. Embora não devemos sacralizar a idade, devemos manter o princípio de honra aos mais velhos por parte dos jovens.

O termo grego *neoteroi*, literalmente "os mais moços", contrasta com os *presbyteroi,* literalmente "os mais velhos". Mueller sugere, portanto, que *neoteroi* represente aqui toda a comunidade, ou seja, os que não são presbíteros.³³⁷ "Sede submissos" é a tradução de *hypotagete,* a mesma palavra que aparece em (2.13,18; 3.1). A submissão é uma característica do comportamento cristão, a decisão de se postar debaixo da liderança de outros, por amor à ordem e para a prática do bem.³³⁸

Uma palavra a toda a igreja sobre relacionamentos (5.5b-7)

Depois de falar especificamente aos presbíteros e aos jovens, Pedro volta sua atenção novamente para toda a igreja. Agora, ele faz três abordagens acerca dos nossos relacionamentos.

Em primeiro lugar, *o relacionamento com os irmãos. ... outrossim, no trato de uns para com os outros, cingi-vos todos de humildade, porque Deus resiste aos soberbos, contudo, aos humildes concede a sua graça* (5.5b). Pedro dá uma ordem, e em seguida, oferece a razão dupla pela qual os cristãos devem cumpri-la. Eles devem cingir-se de humildade, porque Deus resiste aos soberbos, mas dá graças aos humildes. A palavra *enkombosasthe* significa "vestir um avental", cingir-se bem firmemente com alguma peça de roupa; é uma figura para a disposição resoluta com relação a alguma coisa. O que é vestido é a humildade.³³⁹ Se os jovens precisam ser submissos, todos os cristãos precisam vestir-se com a túnica da humildade. A humildade é o portal da honra, enquanto a soberba é a porta de entrada da queda. Deus declara guerra aos orgulhosos, mas concede sua graça aos humildes (Pv 3.34). Warren Wiersbe diz que Deus resiste aos soberbos porque odeia o pecado do orgulho (Pv 6.16,17; 8.13). Foi o orgulho que transformou Lúcifer em Satanás (Is 14.12-15). Foi o orgulho que instigou Eva a comer o fruto proibido.³⁴⁰

Kistemaker diz que a palavra *vestir* se referia a amarrar a si um pedaço de pano. Os escravos, por exemplo, costumavam amarrar um lenço branco ou um avental sobre suas roupas para se distinguirem dos homens livres. A sugestão é que os cristãos devem atar a humildade à sua conduta para que todos possam reconhecê-los. Pedro exorta os leitores a amarrarem a humildade a si de uma vez por todas. Em outras palavras, ela deve acompanhá-los pelo resto de sua vida.[341]

Em segundo lugar, *o relacionamento com Deus*. *Humilhai-vos, portanto, sob a poderosa mão de Deus, para que ele, em tempo oportuno, vos exalte* (5.6). Depois de falar sobre a humildade no plano horizontal, Pedro menciona a necessidade de humildade no plano vertical. Aqueles que se humilham diante de Deus serão exaltados por ele, mas os que se exaltam serão humilhados. Jesus ilustrou esse princípio com a parábola do fariseu e do publicano (Lc 18.9-14). Aquele que enalteceu suas próprias virtudes, dando nota máxima a si mesmo, e, assacou suas mais ferinas acusações contra o próximo, não alcançou misericórdia; mas quem se penitenciou diante de Deus saiu justificado. Os que se humilham serão oportunamente exaltados por Deus. Concordo com Warren Wiersbe no sentido de que a chave para a compreensão desta passagem é a expressão "em tempo oportuno". Deus nunca exalta uma pessoa até que ela esteja pronta para isso. Primeiro a cruz, depois a coroa; primeiro o sofrimento, depois a glória.[342]

Em terceiro lugar, *o relacionamento conosco mesmos*. *Lançando sobre ele toda a vossa ansiedade, porque ele tem cuidado de vós* (5.7). A ansiedade é uma espécie de autofagia. A palavra grega empregada para ansiedade significa "estrangulamento". Ansiedade é sufocar, apertar o pescoço, estrangular. Kistemaker, citando o linguista

Thayer, diz que ansiedade significa também "ser atraído por diferentes direções".[343] Não temos força para carregar o peso da ansiedade. Esse peso é estrangulador. Precisamos tirar esse fardo de sobre nós e lançá-lo sobre Deus. O salmista recomendou: *Confia os teus cuidados ao SENHOR, e ele te susterá* (Sl 55.22a). Jesus Cristo ensinou: *Não andeis ansiosos pela vossa vida* (Mt 6.25b). E Paulo ordenou: *Não andeis ansiosos de coisa alguma* (Fp 4.6).

A ansiedade é o mal do século. Atinge pequenos e grandes, ricos e pobres, doutores e analfabetos, religiosos e ateus. A ansiedade é inútil, pois não podemos acrescentar um côvado à nossa existência, por mais ansiosos que estejamos. Está provado que 70% os assuntos que nos deixam ansiosos nunca se concretizarão. Assim, sofremos inutilmente. E, se esses problemas vierem a se realizar, sofreremos duas vezes. A ansiedade é prejudicial, pois não nos ajuda a resolver os possíveis problemas do amanhã e ainda nos rouba as energias de hoje. A ansiedade é sinônimo de incredulidade, pois são os gentios que não conhecem a Deus que se preocupam com o que vão comer e beber. Nós, porém, devemos buscar em primeiro lugar o reino de Deus e a sua justiça, sabendo que as demais coisas nos serão acrescentadas.

Concordo com William MacDonald quando ele diz que a incredulidade é pecado porque nega a sabedoria de Deus, já que subentende que Deus não sabe o que está fazendo com a nossa vida; ela nega o amor de Deus, pois supõe que Deus não se importa com o que estamos passando; e nega, outrossim, o poder de Deus, pois presume que Deus não é suficientemente capaz de nos libertar de tudo o que nos causa preocupação.[344]

Pedro usa o termo *lancem,* e no grego fica implícito que lançar é um único ato que exige esforço no sentido de arremessar alguma coisa para longe de nós.³⁴⁵ Pedro diz que devemos lançar sobre o Senhor *toda* a nossa ansiedade, e não apenas parte dela. Não devemos lançar a ansiedade sobre ele aos poucos, retendo as preocupações que acreditamos sermos capazes de resolver por conta própria. Guardar "pequenas ansiedades" fará que elas logo se transformem em grandes problemas.³⁴⁶

Uma palavra sobre batalha espiritual (5.8,9)

Depois de mostrar como precisamos nos relacionar com Deus, com os irmãos e conosco mesmos, Pedro passa a tratar da batalha espiritual, ou seja, dos inimigos que estão à nossa volta nos espreitando. Chamamos a atenção para três pontos acerca dessa batalha espiritual.

Em primeiro lugar, *a identidade do adversário. ... o diabo, vosso adversário...* (5.8b). O diabo não é uma lenda, um mito, um espantalho para intimidar os místicos. É um anjo caído, um ser maligno, assassino, ladrão, destruidor. É a antiga serpente, o dragão vermelho, o leão que ruge. É assassino e pai da mentira. Veio roubar, matar e destruir. Temos um adversário real, invisível e medonho. Não podemos subestimar seu poder nem suas artimanhas.

Em segundo lugar, *as estratégias do adversário. ... anda em derredor, como leão que ruge procurando alguém para devorar* (5.8c). Três coisas aqui nos chamam a atenção.

1. *O diabo espreita*. Ele anda em derredor. Busca uma brecha em nossa vida. Vive rodeando a terra e passeando por ela (Jó 1.7; 2.2). O diabo não dorme nem tira férias. É incansável em sua tentativa de nos apanhar em suas armadilhas. O apóstolo Paulo diz que precisamos ficar firmes contra as ciladas do diabo (Ef 6.11). A palavra "ciladas" vem do grego *metodeia,* que significa "métodos,

estratagemas, armadilhas". O diabo tem um grande arsenal de armadilhas. Pesquisa meticulosamente nossos pontos vulneráveis. Não hesita em buscar brechas em nossa armadura. Precisamos acautelar-nos!

2. *O diabo intimida.* O leão ruge não quando ataca a presa, mas para espantá-la. Seu rugido é para fazer a presa dispersar-se do bando. Quando uma presa se desprende do bando, o leão a ataca implacavelmente. É muito difícil uma presa escapar da investida de um leão quando esta se isola. O ataque é súbito, violento, fatal.

3. *O diabo devora.* O diabo não veio para brincar, mas para devorar. Ele mata. É homicida e assassino. Há muitas pessoas arruinadas, feridas e destruídas por esse devorador implacável. Ele é o Abadom e o Apoliom (Ap 9.11), conhecido como o destruidor.

Em terceiro lugar, *as armas de vitória contra o adversário. Sede sóbrios e vigilantes... resisti-lhe firmes na fé, certos de que sofrimentos iguais aos vossos estão se cumprindo na vossa irmandade espalhada pelo mundo* (5.8a,9). Pedro nos oferece quatro armas importantes para o enfrentamento dessa luta espiritual.

1. *A sobriedade.* A palavra grega *nepsate*, traduzida por "sede sóbrios", significa "domínio próprio", especialmente na área da bebida alcoólica. Um indivíduo que perde o equilíbrio, o siso e a lucidez é uma vítima indefesa na batalha espiritual. Quando o diabo consegue dominar a mente de uma pessoa, consegue destruir-lhe a vida. Há dois extremos perigosos nessa batalha espiritual. O primeiro é subestimar o diabo. Há indivíduos que escarnecem do diabo como se ele fosse uma formiguinha indefesa. A Bíblia diz que nem o arcanjo Miguel se atreveu a proferir juízo infamatório contra o diabo (Jd 9). O segundo extremo é

superestimar o diabo. Há igrejas que falam mais no diabo que em Jesus. Há redutos em que o diabo tem até acesso ao microfone. Há pregadores que entabulam longas conversas com o diabo. Há escritores que recebem até mesmo revelações do diabo. Há aqueles que atribuem ao diabo qualquer dor de cabeça que uma aspirina resolveria. Essas atitudes não têm amparo nas Escrituras. Precisamos ter sobriedade nesse combate cristão.

2. *A vigilância*. A palavra "vigilantes" indica a atitude de esperar de olhos abertos, acompanhando o que se passa e sempre perscrutando o horizonte na expectativa da chegada do Senhor.[347] O diabo vive rodeando a terra e bisbilhotando a vida das pessoas. Não hesita em atacar uma pessoa sempre que encontra uma brecha. Precisamos manter os olhos abertos e os ouvidos atentos. O diabo é a antiga serpente. É astuto, sutil. Sua estratégia é falsificar tudo o que Deus faz. De acordo com a parábola do joio e do trigo, em todo lugar em que Deus planta um cristão, o diabo planta um impostor (Mt 13.24-30,36-43).[348] Precisamos agir como o governador Neemias, que, em tempo de ameaças, colocou metade de seus homens empunhando as armas e a outra metade trabalhando (Ne 4.16). Oliver Cromwell dava o seguinte conselho às suas tropas: "Confiai em Deus e mantende a pólvora seca".[349] Sintetizando essas duas primeiras armas (sobriedade e vigilância), Kistemaker escreve:

> A sobriedade é a capacidade de olhar para aquilo que é real com a mente clara, e a vigilância é um estado de observação e prontidão. A primeira característica descreve uma pessoa que luta contra sua própria disposição, enquanto a segunda mostra a prontidão para se responder às influências externas. Um cristão deve sempre manter-se alerta tanto contra forças internas como externas que desejam destruí--lo. Essas forças vêm do maior adversário do ser humano, Satanás.[350]

3. *A fé*. Precisamos resistir ao diabo firmes na fé. A fé é um escudo contra os dardos inflamados do maligno (Ef 6.16). Não podemos acreditar nas mentiras do diabo nem dar crédito às suas falsas promessas. Warren Wiersbe diz que tanto Pedro como Tiago dão a mesma fórmula para o sucesso nessa batalha espiritual: *Sujeitai-vos a Deus; mas resisti ao diabo, e ele fugirá de vós* (Tg 4.7). Antes de se manter firme diante de Satanás, é preciso curvar-se diante de Deus.[351] Kistemaker é oportuno quando diz que a palavra *fé* pode ser compreendida tanto no sentido subjetivo da fé pessoal e confiança em Deus, como no sentido objetivo, ou seja, referindo-se ao conjunto das doutrinas cristãs. Aqui, o contexto favorece o sentido objetivo.[352]

4. O *sofrimento*. Em tempos de prova, tendemos a pensar que estamos sozinhos nessa refrega e que ninguém está sofrendo como nós. Uma das armas do diabo para nos atingir é superdimensionar nossa dor e apequenar nosso consolo. Precisamos abrir os olhos e entender que existem outros irmãos passando pelas mesmas provações e enfrentando as mesmas batalhas. É errado imaginar que somos os únicos a travarmos esse tipo de batalha, pois nossa "irmandade espalhada pelo mundo" enfrenta as mesmas dificuldades.[353]

Uma palavra sobre o cuidado de Deus (5.10-14)

Pedro termina suas exortações dirigindo-se aos cristãos perseguidos da dispersão sobre o cuidado de Deus. Destacamos aqui cinco pontos.

Em primeiro lugar, *quem Deus é*. *Ora, o Deus de toda a graça...* (5.10a). Para uma igreja que estava sendo atacada por forças humanas e espirituais, perseguida pelos homens e pelo diabo, Pedro diz que sua vida está nas mãos do Deus de toda a graça. O próprio Pedro, que caiu em terrível pecado, negando o seu Senhor, sabia quão gracioso é Deus, a ponto de colocar de pé aquele que um dia estivera prostrado no pó. Precisamos sempre trazer à nossa memória o fato de que Deus não lida conosco em virtude do nosso merecimento, mas de acordo com seu amor incondicional. Mesmo quando falhamos, Deus nos perdoa. Mesmo quando tropeçamos, Deus nos levanta. Mesmo quando passamos pela fornalha do sofrimento, Deus nos fortalece.

Em segundo lugar, *o que Deus fez*. ... *que em Cristo vos chamou à sua eterna glória...* (5.10b). Deus nos escolheu por sua graça e nos destinou à sua eterna glória. Deus dá graça e glória (Sl 84.11). A graça é a causa; a glória é o resultado. A graça é a raiz; a glória é o fruto. A graça é origem; a glória é o fim. Tudo o que começa com graça desemboca em glória!

Em terceiro lugar, *o que Deus permite*. ... *depois de terdes sofrido por um pouco...* (5.10c). O sofrimento humano, por mais agudo e prolongado, quando colocado sob a perspectiva da eternidade é pequeno, leve e momentâneo. O apóstolo Paulo expressa essa mesma ideia ao declarar: *Porque a nossa leve e momentânea tribulação produz para nós eterno peso de glória, acima de toda comparação* (2Co 4.17). Deus permite o sofrimento não por longo tempo, mas por breve tempo; não para nos destruir, mas para nos fortalecer; não para sonegar-nos a glória, mas para realçá-la.

Em quarto lugar, *o que Deus faz*. ... *ele mesmo vos há de aperfeiçoar, firmar, fortificar e fundamentar* (5.10d). As provações constroem o caráter cristão e fortalecem os músculos da alma. Os cristãos da Dispersão, que estavam perdendo bens, casas, terras e liberdades, mesmo mortos, não seriam vencidos pelo inimigo. Essa fornalha da aflição não tinha o propósito de destruí-los, mas de aperfeiçoá-los, firmá-los, fortificá-los e fundamentá-los.

A palavra grega *kartarizein*, "aperfeiçoar", é a mesma usada em Mateus 4.21 para "consertar as redes". Pelas provações, Deus repara nossas brechas. Essa palavra significa prover aquilo que falta, remendar o que está roto, repor uma parte que está faltando. Assim, o sofrimento, se aceito com humildade, pode prover aquilo que está faltando em nosso caráter.[354]

A palavra grega *sterixein*, "firmar", significa fixar com firmeza, prender firmemente, tornar tão firme como um granito.[355] Deus permite as provas para que os cristãos tenham uma consistência granítica, e não gelatinosa. O sofrimento, quando acolhido com discernimento, é como o exercício corporal de um atleta: tonifica os músculos e aumenta o vigor.

A palavra grega *sthenoun*, "fortificar", significa encher de força.[356] Deus nos dá forças para lidar com aquilo que a vida exige de nós. Uma vida sem esforço e sem disciplina torna-se flácida moralmente e frívola espiritualmente.

A palavra grega *themelioun*, "fundamentar", significa colocar os fundamentos, lançar um alicerce sólido, ou seja, construir sobre a rocha firme.[357] Quando enfrentamos o sofrimento, somos cimentados no alicerce da fé. Satanás intentou contra a vida do patriarca Jó. Atacou seus bens, seus filhos e sua saúde. Mas, em vez de afastar Jó de Deus, o sofrimento o colocou a seus pés. Antes do sofrimento, Jó conhecia Deus de ouvir falar; agora, Jó vê a Deus e prostra-se aos seus pés.

Em quinto lugar, *o que Deus merece. A ele seja o domínio pelos séculos dos séculos. Amém* (5.11). Mesmo quando a igreja é perseguida e o inimigo parece estar no controle da situação, Deus está no trono, governando sobre tudo e todos, controlando cada situação. A ele pertence o domínio! Pedro termina sua carta não com um profundo lamento, mas com uma doxologia!

Na conclusão da epístola, Pedro faz quatro destaques:

Primeiro, *o amanuense da carta. Por meio de Silvano, que para vós outros é fiel irmão, como também o considero, vos escrevo resumidamente...* (5.12a). Pedro informa aos cristãos da Dispersão que Silvano, o mesmo Silas, profeta da igreja de Jerusalém e companheiro de Paulo em sua segunda viagem missionária, foi o secretário que escreveu essa missiva. Silas era não apenas um líder da igreja de Jerusalém (At 15.22,27), mas também profeta (At 15.32) e cidadão romano (At 16.19,25,29,37).

Segundo, *o tema da carta. ... exortando e testificando, de novo, que esta é a graça de Deus; nela estai firmes* (5.12b). Pedro relembra à igreja o conteúdo principal da carta, a graça de Deus, exortando os cristãos a permanecerem firmes nessa graça.

Terceiro, *as saudações da carta. Aquela que se encontra em Babilônia, também eleita, vos saúda, como igualmente meu filho Marcos* (5.13a). Pedro envia saudações da senhora eleita e de Marcos, seu filho na fé. A linguagem que Pedro usa nessa saudação é enigmática. A quem ele se refere? Não existe consenso acerca de quem seria essa "eleita". Alguns estudiosos dizem que se tratava de uma mulher proeminente na igreja; outros que era a própria mulher de Pedro que a acompanhava em suas viagens missionárias (1Co 9.5). Kistemaker observa ser pouco provável que Pedro estivesse referindo-se à própria esposa. A maioria dos estudiosos acredita que Pedro alude à igreja cristã onde ele residia. Portanto, Pedro está enviando as saudações da igreja eleita de Jesus Cristo aos cristãos da diáspora.[358] Concordo, entretanto, com William McDonald, que é impossível ter certeza de quem se trata.[359]

Quarto, *a recomendação final da carta*. *Saudai-vos uns aos outros com ósculo de amor. Paz a todos vós que vos achais em Cristo* (5.14). Pedro orienta os cristãos a saudarem uns aos outros com *filema*, o "beijo fraternal", traduzido como "ósculo de amor". O ósculo santo é mencionado em quatro cartas paulinas (Rm 16.16; 1Co 16.20; 2Co 13.12; 1Ts 5.26). Mas aqui Pedro recomenda "ósculo de amor". Uma igreja perseguida precisa exercer amor e experimentar a paz.

NOTAS DO CAPÍTULO 9

[318] MUELLER, Ênio R. *I Pedro: Introdução e comentário*, p. 254.
[319] MACDONALD, William. *Believer's Bible Commentary*, p. 2280.
[320] MACDONALD, William. *Believer's Bible Commentary*, p. 2279.
[321] KISTEMAKER, Simon. *Epístolas de Pedro e Judas*, p. 255.
[322] Salmo 23; Salmo 100; Isaías 40.11; Lucas 15.4-6; João 10; Atos 20.28; Hebreus 13.20,21; 1Pedro 2.25; Apocalipse 7.17.
[323] WIERSBE, Warren W. *Comentário bíblico expositivo*, p. 554.
[324] MACDONALD, William. *Believer's Bible Commentary*, p. 2280.

325 MUELLER, Ênio R. *I Pedro: Introdução e comentário*, p. 256.
326 BARCLAY, William. *Santiago, I y II Pedro*, p. 302.
327 WIERSBE, Warren W. *Comentário bíblico expositivo*, p. 555.
328 SELWYN, E. G. *The First Epistle of St Peter*. London: Macmillam, 1946, p. 230.
329 WIERSBE, Warren W. *Comentário bíblico expositivo*, p. 555.
330 KISTEMAKER, Simon. *Epístolas de Pedro e Judas,* p. 260.
331 MACDONALD, William. *Believer's Bible Commentary*, p. 2280.
332 WIERSBE, Warren W. *Comentário bíblico expositivo*, p. 555.
333 BARCLAY, William. *Santiago, I y II Pedro*, p. 303.
334 MUELLER, Ênio R. *I Pedro: Introdução e comentário*, p. 257.
335 WIERSBE, Warren W. *Comentário bíblico expositivo*, p. 556.
336 KISTEMAKER, Simon. *Epístolas de Pedro e Judas,* p. 262.
337 MUELLER, Ênio R. *I Pedro: Introdução e comentário*, p. 258.
338 MUELLER, Ênio R. *I Pedro: Introdução e comentário*, p. 258.
339 MUELLER, Ênio R. *I Pedro: Introdução e comentário* , p. 259.
340 WIERSBE, Warren W. *Comentário bíblico expositivo*, p. 557.
341 KISTEMAKER, Simon. *Epístola de Pedro e Judas,* p. 266.
342 WIERSBE, Warren W. *Comentário bíblico expositivo*, p. 558.
343 KISTEMAKER, Simon. *Epístolas de Pedro e Judas,* p. 269.
344 MACDONALD, William. *Believer's Bible Commentary*, p. 2281.
345 KISTEMAKER, Simon. *Epístolas de Pedro e Judas,* p. 269.
346 WIERSBE, Warren W. *Comentário bíblico expositivo*, p. 558.
347 MUELLER, Ênio R. *I Pedro: Introdução e comentário*, p. 262.
348 WIERSBE, Warren W. *Comentário bíblico expositivo*, p. 559.
349 BARCLAY, William. *Santiago, I y II Pedro*, p. 310.
350 KISTEMAKER, Simon. *Epístolas de Pedro e Judas,* p. 272.
351 WIERSBE, Warren W. *Comentário bíblico expositivo*, p. 559.
352 KISTEMAKER, Simon. *Epístolas de Pedro e Judas,* p. 274.
353 WIERSBE, Warren W. *Comentário bíblico expositivo*, p. 559.
354 BARCLAY, William. *Santiago, I y II Pedro*, p. 310,311.
355 BARCLAY, William. *Santiago, I y II Pedro*, p. 311.
356 BARCLAY, William. *Santiago, I y II Pedro*, p. 311.
357 WIERSBE, Warren W. *Comentário bíblico expositivo*, p. 560.
358 KISTEMAKER, Simon. *Epístolas de Pedro e Judas,* p. 281,282.
359 MACDONALD, William. *Believer's Bible Commentary* , p. 2282.

Conheça a coleção completa dos Comentários Expositivos Hagnos

ANTIGO TESTAMENTO

RUTE

NEEMIAS

DANIEL

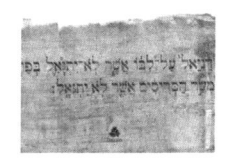

Rute
Uma perfeita história de amor

160 páginas

Neemias
O líder que restaurou uma nação

224 páginas

Daniel
Um homem amado no céu

160 páginas

OSEIAS

JOEL

AMÓS

Oseias
O amor de Deus em ação

264 páginas

Joel
O profeta do pentecostes

120 páginas

Amós
Um clamor pela justiça social

216 páginas

Conheça a coleção completa dos Comentários Expositivos Hagnos

ANTIGO TESTAMENTO

Obadias e Ageu
Uma mensagem urgente de Deus à igreja contemporânea

136 páginas

Jonas
Um homem que preferiu morrer a obedecer a Deus

128 páginas

Miqueias
A justiça e a misericórdia de Deus

176 páginas

Habacuque
Como transformar o desespero em cântico de vitória

160 páginas

Malaquias
A igreja no tribunal de Deus

136 páginas

Conheça a coleção completa dos Comentários Expositivos Hagnos

NOVO TESTAMENTO

Marcos
O evangelho dos milagres
2a edição revisada e ampliada
640 páginas

Atos
A ação do Espírito Santo na vida da igreja
512 páginas

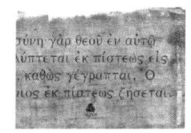

Romanos
O evangelho segundo Paulo
512 páginas

1 Coríntios
Como resolver conflitos na igreja
312 páginas

2 Coríntios
O triunfo de um homem de Deus diante de dificuldades
296 páginas

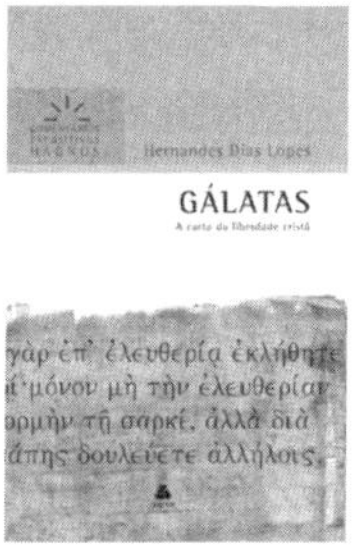

Gálatas
A carta da liberdade cristã
288 páginas

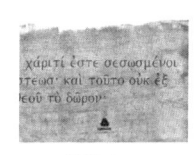

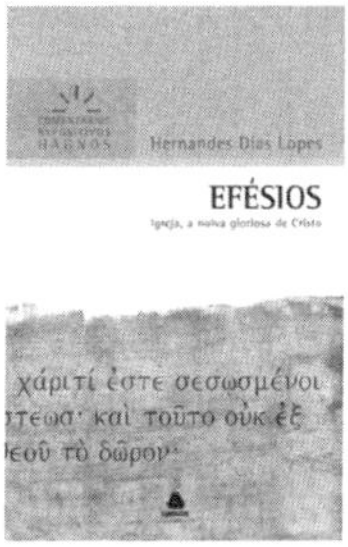

Efésios
Igreja, a noiva gloriosa de Cristo
192 páginas

Filipenses
A alegria triunfante no meio das provas
264 páginas

Conheça a coleção completa dos Comentários Expositivos Hagnos

NOVO TESTAMENTO

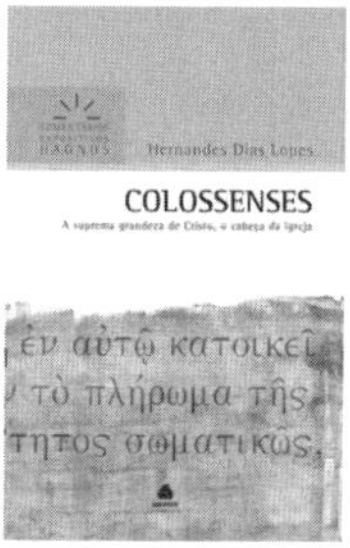

Colossenses
A suprema grandeza de Cristo, o cabeça da Igreja
232 páginas

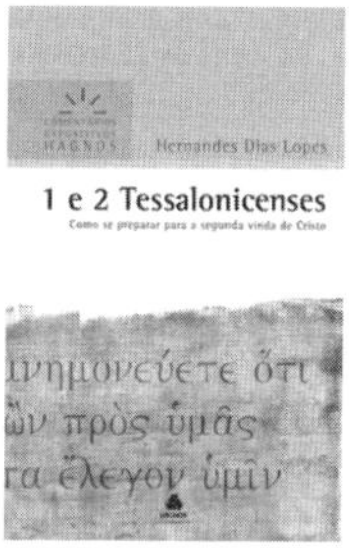

1 e 2 Tessalonicenses
Como se preparar para a segunda vinda de Cristo
232 páginas

Tito e Filemom
Doutrina e Vida, um binômio inseprarável
168 páginas

Tiago
Transformando provas em triunfo
160 páginas

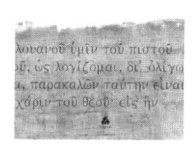

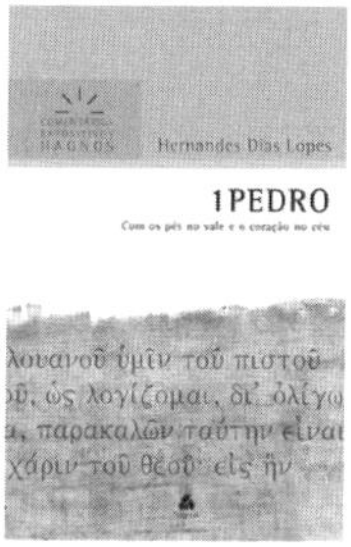

1 Pedro
Com os pés no vale e o coração no céu
192 páginas

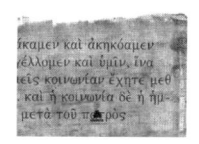

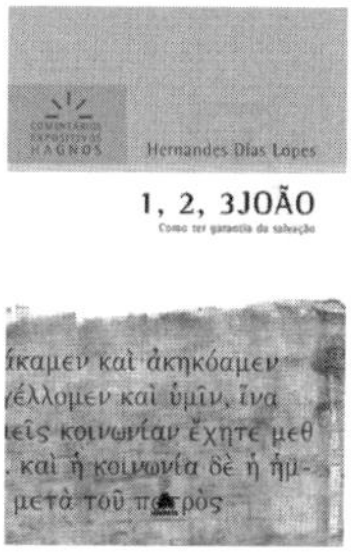

1,2,3 João
Como ter garantia de salvação
272 páginas

Apocalipse
As coisas que em breve devem acontecer
408 páginas

Sua opinião é importante para nós.
Por gentileza, envie-nos seus comentários pelo e-mail:

editorial@hagnos.com.br

Visite nosso site:

www.hagnos.com.br